초등국어
7가지 비법으로 체계적인 독해력 향상
7유형 독해법

▍이 책을 쓴 선생님들

이 책은 초등교육과정의 단계별 수준에 맞추기 위하여 학년별 교과과정에 맞는 글을 선정하였습니다. 학년별 교과과정에 따라 6단계로 나눈 것입니다. 1단계에서 6단계로 나아갈수록 지문과 문제의 수준이 차츰차츰 높아집니다. 이런 점에 따라 이 책은 자신의 학년에 맞추어 공부하는 편이 바른 방법이겠지요.그러나 독해력은 개인차가 존재하므로 독해력의 기초를 다진다는 의미로 볼 때 자신의 학년보다 조금 단계를 낮추어 시작하는 것이 효율적일 수 있습니다.

읽기는 종합적인 생각의 과정으로 글의 사실을 이해하고, 이해한 사실에 미루어 새로운 내용을 짐작해보고, 비판도 하면서, 새로운 다른 일에 적용할 줄도 알아야 합니다. 이점에 착안한 4번 미루어알기, 6번 적용하기 유형을 통하여 응용력과 창의력을 키울 수 있습니다.

문항 유형별로 갈래에 따른 출제 유형과 대응 전략을 7가지 독해법과 함께 소개하였으므로, 본격적인 학습에 들어가기 전에 잘 익혀두면 독해력 향상에 크게 도움이 됩니다. 특히 취약유형은 더욱 대응 전략을 잘 숙지하면서 문제를 푸는 습관이 필요합니다.

김갑주 선생님　서울대학교 국어국문학과 졸업, 장훈고등학교 국어교사, 대성학원과 종로학원 강사, 중고등 참고서 다수 집필, 초등 독해력 키움 집필

저는 초등학교에서 15년 가까이 근무하며 국어뿐만 아니라 모든 공부의 바탕에 문해력이 있다는 데에 확신을 가지게 되었습니다. 그런데 학생들이 문해력을 효과적으로 향상시키려면 다음 두 가지가 꼭 필요합니다.

첫째는 독해력입니다. 여러분은 이 교재의 회차별 7가지 문항 유형을 통해 주제찾기(1번유형) 및 글감 찾기(2번유형)부터 사실 이해하기(3번유형), 미루어 알기(4번유형), 세부 내용 찾기(5번유형), 적용하기(6번유형), 요약하기(7번유형)까지 연습할 수 있습니다. 둘째는 어휘력입니다. 회차별 지문뿐 아니라 <어휘 넓히기>, <어휘·어법 총정리>에서 여러분은 많은 낱말을 익히게 됩니다. 또 학년에 따라 맞춤법 및 한자어에 대한 영역까지 두루 살펴볼 수 있습니다.

이 교재를 꾸준히 공부하면 독해력과 어휘력을 함께 체계적으로 신장할 수 있습니다. 하지만 가장 좋은 것은 독서와 이 교재를 병행하는 것이겠지요. 어려움이 있더라도 끈기와 집중력을 발휘하여 최선을 다해 주기를 바랍니다.

김미나 선생님　경인교육대학교 사회과교육과 졸업, 서울대학교 국어교육과 석사 졸업, 초등 사회 교과서 문장 오류 분석, 이스라엘 초등 국어 교과서 한국어 번역 작업, EBS 뉴스의 우리말 순화 활동지 제작 등 다수의 사업 참여, 현재 세종 다빛초등학교 재직 중

구성과 학습 방법

구성에 따른 학습 방법을 알고 공부하면 효과를 높일 수 있습니다.
(표를 보는 순서 ① 주간 시작 → ② 독해 지문 → ③ 7가지 문항 유형 → ④ 어휘 학습 → ⑤ 주간 총정리)

② 독해 지문

'생각 열기'는 아래에서 읽어야 할 글(본문)에 대한 실마리를 담고 있어요.

문항별 점수에 따라 나의 점수를 계산해 봅니다.

본문에서는 국어 교과서의 글은 물론, 사회, 과학, 국악 등에서 학년단계에 맞는 글들을 선별하고, 통합교과적 소재에 대한 독해 능력을 올리는데 알맞은 글들을 최종적으로 엄선하여 수록했습니다.

본문에 나온 어려운 말에 어깨번호를 붙이고 그 말에 대해 자세히 설명해 둔 것이에요.

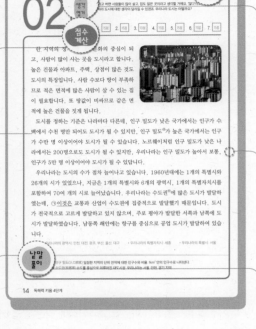

단계별 교과 과정에 맞추어 모든 교과서에서 통합 교과적인 글감을 선별하고 이것을 다시 인문, 사회, 과학, 산문문학, 운문문학으로 체계화하며 수록하였습니다.

'생각 열기'를 통하여 어떤 내용이 실려 있는지 대강 알고 읽으면 본문을 쉽게 파악할 수 있어요.

본문으로 실은 글의 종류가 무엇인지는 중요하지 않습니다. 다만 통합교과적인 글들을 읽는 훈련을 통하여 인문, 사회, 과학, 문학 등의 여러 종류의 글을 읽으면서 체계적인 독해능력을 기르도록해요.

본문을 읽으면서 어깨번호가 붙은 말이 있으면 본문의 아래에 있는 설명을 보아 도움을 받도록 해요.

③ 7가지 문항유형

'대학수학능력시험', 'SSAT(미국 중등학교 입학시험)' 등의 평가 유형을 참고하여 초등과정에서 효과적인 독해력 향상을 위한 독창적이고 체계적인 7가지 독해 비법을 유형으로 개발하였습니다.

7가지 유형의 지정 문항을 매회 1개씩 배치하여 각 유형마다 40문항씩 익히게 됨으로써 체계적 독해력 향상이 가능합니다.

피드백효과

평가와 진단하기에 문항 유형별 체크를 하여 유형별 실력 파악과 진단이 가능하며, 글감별로도 진단이 한눈에 보이게 됩니다.

7가지 독해력 측정을 위해 [주제 찾기(1번), 글감이나 제목 찾기(2번), 사실 이해(3번), 미루어 알기(4번), 세부내용 파악(5번), 적용하기(6번), 요약하기(7번)]를 지정문항으로 반복함으로 유형별로 효과적인 해결능력을 올리도록 했습니다. 또한 모든 단계가 끝나는 자리(이 책의 끝)에 있는 평가 진단표를 작성하도록 하여 취약 유형을 파악하고 보완하도록 하였습니다.

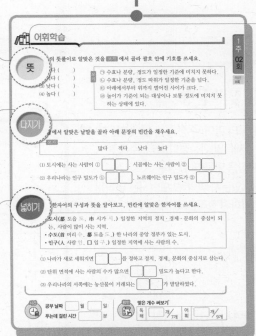
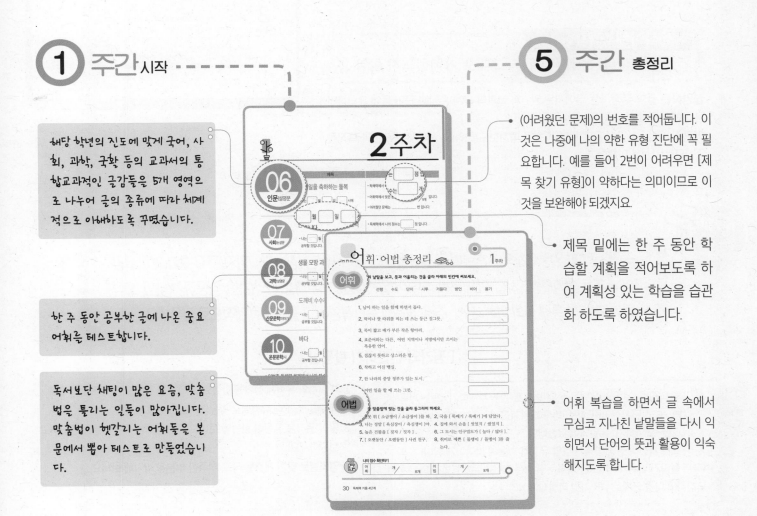

7가지 유형 독해 방법

7가지 유형으로 학습한 후, 책 뒷면에 있는 평가와 진단하기에 문항별로 체크를 하여보면 자신의 실력과 부족한 부분을 자가 진단할 수 있습니다.

주제찾기 유형(1번)
글 전체의 중심 내용 찾기 문항

설명하는 글에서는 '이처럼', '이와 같이', '요컨대' 등의 말이, 주장하는 글에서는 '그러므로', '따라서' 등의 말이 문장의 앞에 놓이면 주제문일 가능성이 높다. 주제 문장이 보이지 않으면 마지막 문단을 요약하여 주제 문장을 만들어야 한다.
이야기는 인물, 사건, 배경 중 무엇이 중심에 놓여 있는지 파악해보고, 시는 말하는 사람이 어떤 느낌이나 생각에 사로잡혀 있는지 파악하여 정리한다.

글감(제목)찾기 유형(2번)
글에서 반복하여 나타난 말이나, 글의 대상이 된 것

설명하는 글과 주장하는 글에서는 여러 번 반복하여 나타난 글의 중심 낱말을 찾아내는 것이 가장 중요하고, 이야기에서는 인물, 사건, 배경 중 무엇에 초점을 두었는지를 확인한다. 시는 작품을 음미해본 다음, 무엇을 대상으로 하여 내용을 이루었는지 따져본다.

사실이해 유형(3번)
글에 나타난 사실을 있는 그대로 이해했는지 확인

설명하는 글과 주장하는 글에서는 원인과 결과의 관계, 주장과 근거 등에 유의하면서 글에 나타난 사실을 이해했는지 확인한다.
이야기에서는 사건이 글에 나타난 것을 따져보도록 하고, 시에서는 표현의 특징을 중심으로 사실을 이해한다.

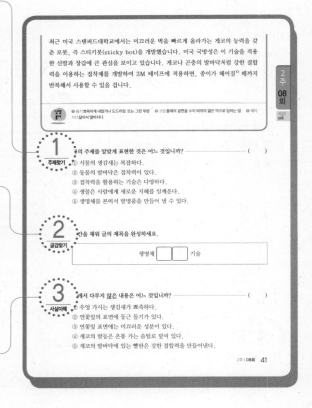

평가와 진단

국어 능력 향상은 체계적인 훈련이 꼭 필요합니다. 국어 능력 향상 비법 7가지[주제 찾기(1번), 글감이나 제목 찾기(2번), 사실 이해(3번), 미루어 알기(4번), 세부내용 파악(5번), 적용하기(6번), 요약하기(7번)]를 통해 글의 이해, 분석, 추리, 적용의 종합적인 사고 능력을 체계적으로 키우세요.

[평가와 진단하기 활용법]

※ 이 책의 모든 문항과 유형은 동일 번호로(1번→주제찾기, 2번→제목(글감)찾기, 3번→사실이해, 4번→미루어 알기, 5번→세부내용 6번→적용하기, 7번→요약하기) 통일되어 있습니다.

※ 이 표는 자신의 취약 영역과 취약 유형을 한눈에 파악하게 합니다.
(자주 틀리거나 취약하다고 생각하는 유형은 7가지 독해 방법을 다시 한번 숙지하고 다음 단계로 넘어가길 바랍니다.)

1. 각 회차의 유형에 정답을 맞혔으면 'O'표를 틀렸으면 'X'표를 하세요.
2. 제재별 '소계'에 유형별로 맞은('O'표) 개수를 쓰세요.
3. 많이 틀리는 유형이 한눈에 보이므로 자신의 부족한 부분을 진단하고 보완하세요.
4. 영역별로 맞힌 개수를 적고, 부족한 부분을 파악해 보세요.

> 글을 읽고 문제를 풀 때는, 가장 먼저 '사실이해 유형(3번)'을 유념해 보아 두어야 합니다. 글 읽기는 주어진 글의 사실 이해로부터 출발해야 하기 때문입이다. "

미루어 알기(추론) 유형(4번)
글에 나타난 사실에 미루어 집작해 본 내용

설명하는 글과 주장하는 글에서는 선택지에 나타난 내용이, 글의 어떤 내용으로부터 이끌어낸 생각인지 찾아보고, **이야기**에서는 인물의 말이나 행동, 사건의 진행 과정 등을 파악하면서 추리해보며, **시**에서는 고백하는 말 뒤에 숨겨진 느낌이나 생각을 떠올려본다.

세부내용 유형(5번)
글의 모양, 어휘의 뜻, 어법, 글과 관련된 배경 지식 등

설명하는 글과 주장하는 글에서는 낱말의 뜻, 접속하는 말의 구실, 고사성어 등을 알아두고, **이야기**는 글을 읽으면서 배경을 알려주는 말이 나오면 어떤 시간이나 장소인지 정리하며, **시**는 비유나 상징에 숨어 있는 뜻을 새길 수 있어야 한다.

적용하기 유형(6번)
글의 내용을 바탕으로 새로운 생각을 떠올려보거나, 다른 일에 응용할 수 있는 능력

설명하는 글과 주장하는 글에서는 글을 읽어서 알게 된 내용을 다른 일에 적용할 수 있는지 알아보는 문항이 출제되고 **이야기**는 글에 나타난 대로 새로운 인물이나 사건, 배경을 그려 보일 수 있는지 묻는다. **시**는 말하는 사람의 느낌이나 생각을 정확히 이해 하는지 묻는다.

요약하기 유형(7번)
글의 전체 또는 주요 내용을 간추리는 능력

설명하는 글과 주장하는 글에서는 중심 내용을 간추릴 수 있는지 측정하려는 문항이다. **이야기**는 '사실이해 3'처럼 주요한 사건을 다시 확인하는 유형이 출제되기가 쉽다. 이유형은 **시**에서는 내용 흐름에 따라 중심 내용을 정리한다.

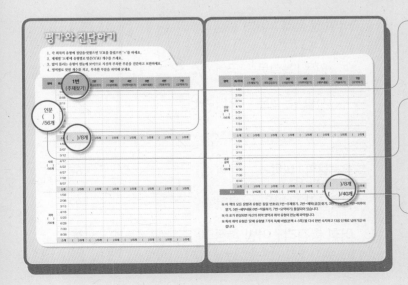

유형별로 한눈에 실력을 파악할 수 있게 하였습니다.
⑩인문제재에서 주제찾기 유형(1번)은 8문항 중 몇 개를 맞고 틀렸는지 한 눈에 파악이 됩니다.

글의 갈래를 표시했습니다. 인문, 사회, 과학, 이야기, 시의 5개 영역의 정답률을 표 하나에 알 수 있어 자신의 취약 글의 갈래가 어떤 것인지 한 눈에 알 수 있습니다.
⑩인문제재 56문항 중 몇 개를 틀렸는지 한 눈에 파악이 되어 자신의 부족한 점을 보충할 수 있습니다.

모든 글에서 자신의 부족한 유형이 무엇인지 한 눈에 파악할 수 있습니다.
⑩적용하기 유형(6번)에서 총 40문항 중 정답은 몇 개고 오답은 몇 개인지를 알아서 독해 실력을 자가 진단합니다.

4단계 목차

『독해력키움』은,

본문이든 그 아래의 문항이든 아이들이 스스로의 힘으로 이해할 수 있도록 꾸몄습니다. 되도록 간섭은 줄이고, 부모님이나 선생님, 그 밖의 다른 분들께서 아이를 도와주실 때는 다음에 유의하십시오.

01

글이나 문제에서 뜻을 모르는 낱말이 있다고 할 때는, 그 낱말의 앞이나 뒤에 놓인 다른 말과 연결하여 미루어 뜻을 떠올려 볼 수 있도록 힘을 키워주십시오. 섣불리 사전을 찾도록 한다거나 글 전체, 문제 전부를 풀이해주었다가는 의존하는 버릇만 들이게 할 것입니다.

02

회가 끝날 때마다 붙어있는 문항 풀이의 결과를 자주 확인하여, 아이의 약점을 파악하고 자주 틀리거나 이해가 부족한 문항 유형을 중심으로, 그 문항 유형의 어려움을 극복하기 위해서 무엇을 고치고 보완해야 하는지 깨닫게 해주십시오. 고칠 점, 보완해야 할 점은 『독해력키움』의 해설을 보면 잘 나와 있습니다.

03

주관식 문제의 채점 기준을 예시해두겠습니다.

한 낱말이나 빈칸이 정해진 하나의 구절로 답하는 문제에서는 모범 답안과 모양과 내용이 일치하는 답안만 만점으로 합니다. 모양은 다르지만 빈칸의 수가 같고 내용이 비슷한 답안은 비슷한 정도에 따라 점수를 낮추어 채점합니다.

여러 개의 낱말로 답하는 문제에서는 배점에 문항 수를 나누어 정답에 비례하여 채점합니다.

하나의 구절이나 문장으로 답하는 문제에서는 미리 주어진 조건을 고려하여 모범 답안의 내용과 일치하는 정도에 따라 점수를 주어야 할 것입니다. 그 기준은 도와주는 사람이 정해야 합니다.

1주차

회차 / 영역	제목	계획 및 점검
01 인문|설명문	전라남도 목포에서는 • 나는 ☐월 ☐일 ☐시에 공부할 것입니다.	• 독해력에서 나의 점수는 ☐점입니다. • 어휘력에서 맞은 문제수는 ☐개 / 9개 입니다. • 어려웠던 문제는 _____ 번입니다.
02 사회|설명문	도시의 발달 • 나는 ☐월 ☐일 ☐시에 공부할 것입니다.	• 독해력에서 나의 점수는 ☐점입니다. • 어휘력에서 맞은 문제수는 ☐개 / 9개 입니다. • 어려웠던 문제는 _____ 번입니다.
03 과학|설명문	숨 쉬는 그릇, 옹기 • 나는 ☐월 ☐일 ☐시에 공부할 것입니다.	• 독해력에서 나의 점수는 ☐점입니다. • 어휘력에서 맞은 문제수는 ☐개 / 9개 입니다. • 어려웠던 문제는 _____ 번입니다.
04 산문문학|이야기	요술 항아리 • 나는 ☐월 ☐일 ☐시에 공부할 것입니다.	• 독해력에서 나의 점수는 ☐점입니다. • 어휘력에서 맞은 문제수는 ☐개 / 7개 입니다. • 어려웠던 문제는 _____ 번입니다.
05 운문문학|시	동그라미표 쌓기 • 나는 ☐월 ☐일 ☐시에 공부할 것입니다.	• 독해력에서 나의 점수는 ☐점입니다. • 어휘력에서 맞은 문제수는 ☐개 / 9개 입니다. • 어려웠던 문제는 _____ 번입니다.

• 이번 주 독해력 문제에서 나의 점수는 평균 ☐점입니다.

• 이번 주 어휘력에서 맞은 문제수는 모두 ☐개입니다.

01

 표준어를 정해 놓은 것은 각 지방의 말을 제각기 사용했을 때의 불편과 혼란을 피하기 위해서예요. 각 지방마다 사용하는 말을 '방언(方言)'이라고 해요. 서울말도 방언 중의 하나이죠. 방언을 사용하면 여러 지방 사람이 함께 이야기를 나눌 때, 서로 말의 뜻을 몰라 불편해 할 수 있겠죠.

점수 계산 1. 10점 2. 15점 3. 15점 4. 15점 5. 15점 6. 15점 7. 15점

'엿장수'나 '엿쟁이' 하면 엿판을 들고 엿가위질을 하며 엿을 파는 사람 정도로 생각할 것이다. 그러나 목포에 가면 이런 엿장수 외에 또 다른 엿장수가 있다. 이 엿장수는 엿을 파는 엿장수가 아니라 작은 못, 물웅덩이, 늪 등의 물에 사는 곤충을 의미한다. 물 위를 긴 다리로 미끄러지듯 헤엄쳐 다니는 수영 선수인 소금쟁이를 전라남도 목포에서는 '엿장수'라고 한다. 그리고 강원도 양양에서는 소금쟁이를 '엿장사'라고 하며, 경상남도 산청에서는 '엿쟁이(엿재이)'라고 한다.

(가) 연우: 너 아까 책 고른 거 어디 있니? / 동생: 아, 맞다!

연우: 으이구 빨리 가져와. / 연우: 어? 아주머니! 안녕하세요?

아주머니: 이게 누구야? 너 연우지? 밖에서 보니까 못 알아보겠네. 근데 여긴 어쩐 일이야? / 연우: 동생이랑 책 사러 왔어요.

아주머니: 연우 다 컸네. 집에 갈 때 차 조심하고. / 연우: 네, 안녕히 가세요.

(나) 연우: 니 아까 책 고른 거 어디 있니? / 동생: 아, 맞다!

연우: 으이구 빨리 갖고 와! / 연우: 어? 아주머이! 안녕하세요?

아주머니: 이거 누구야? 니 연우제? 밖에서 보이 모 알아보겠다야. 근데 여는 어쩐 일이냐? / 연우: 동생이랑 책 사러 왔어요.

아주머니: 연우 다 컸다야. 집에 갈 때 차 조심하구. / 연우: 예, 안녕히 가시래요.

(다) 연우: 니 아까 책 고른 거 어딨노? / 동생: 아, 맞다!

연우: 으이구, 빨랑 갖고 온나. / 연우: 어? 아지매! 안녕하십니꺼?

아주머니: 이 누고? 니 연우 아이가? 밖에서 보니까 못 알아보긋네. 근데 여긴 우짠 일이고? / 연우: 동생이랑 책 사러 왔심니더.

아주머니: 연우 다 컸네. 집에 갈 때 차 조심하고.

연우: 네, 안녕히 가이소.

(라) 연우: 너 아까 책 골른 거 어디 있냐? / 동생: 음메.

연우: 으이(구). 빨리 가져와. / 연우: 어? 아주머니! 안녕하세요?

아주머니: 옴메, 이게 누구다냐? 니 연우 맞제? 밖에서 본게 못 알아보겄다잉. 근디

여긴 뭔일로 왔냐? / **연우:** 동생이랑 책 사러 왔단게요.

아주머니: 연우 다 컸다잉. 집에 갈 때 차 조심해라잉. / **연우:** 안녕히 가세요.

(마) **연우:** 너 아까 책 고른 거 어디 있냐? / **동생:** 아, 맞다!

연우: 으이구, 빨리 가져와. / **연우:** 어? 아주머니! 안녕하세유?

아주머니: 이게 누구여? 너 연우지? 밖에서 보니 몬 알아보겠구먼. 근데 여긴 우쩐

일이여? / **연우:** 동생이랑 책 사러 왔어유.

아주머니: 연우 다 컸구먼. 집에 갈 때 차 조심허구. / **연우:** 야, 안녕히 가셔유.

(바) **연우:** 너 아까 책 고른 거 어디 이서? / **동생:** 아, 맞다!

연우: 으이구, 빨리 가정와. / **연우:** 어, 아주망! 안녕하셔쑤과?

아주머니: 야이 누구라? 너 연우아니? 밖에서 보난 못 알아보크라. 근데 여기 무사

아시랑 책 사러 완 마씸. / **연우:** 동생이랑 책 사러 왔어예.

아주머니: 연우 다 커신게. 집에 갈 때 차 조심행 가라이.

연우: 예, 들어가십써예.

1

주제찾기

글을 읽고 알 수 있는 가장 중요한 사실은 무엇입니까? ─────────────── (   )

① 사람마다 말이 다르다.　　　　② 지역에 따라 말이 다르다.

③ 말이 그 사람의 성격을 드러낸다.　④ 말의 뜻은 시간에 따라 달라진다.

⑤ 대화의 말이 친밀한 관계를 이루게 한다.

2

제목찾기

빈칸에 낱말을 넣어 글의 제목을 붙여 보세요.

⇨ 표준어와 ☐☐

3

사실이해

(나)에서 사용한 방언의 특징과 거리가 먼 것을 고르세요. ─────────── (   )

① '-다야.'라는 말로 끝난다.　　　② '-래요.'라는 말로 끝난다.

③ '보니까' 대신 '보이'라고 한다.　④ '너' 대신 '니'를 사용한다.

⑤ '-구먼.'이라는 말로 끝난다.

4
미루어알기

(가)와 비교해 볼 때, (나)~(바) 중 차이가 가장 큰 것은 어느 것인가요? ┄┄┄ (   )

① (나)   ② (다)   ③ (라)   ④ (마)   ⑤ (바)

5
세부내용

다음 중 옳지 <u>않은</u> 설명은 어느 것입니까? ┄┄┄┄┄┄┄┄┄┄┄┄┄┄┄┄┄ (   )

① 표준어는 국가에서 정한 말이다.

② 표준어를 쓰면 의사소통이 쉬어진다.

③ 방언은 지역별로 제각기 사용해온 말이다.

④ 사투리가 시간이 지나면 방언이 된다.

⑤ 방언 중에서 골라 표준어를 정했다.

6
적용하기

아래의 문장을 충청도 방언으로 바꾸어 쓰세요.

연필 사러 왔어요.

(   )

7
요약하기

서로 관련되는 것끼리 선으로 연결하세요.

대화(가)	●	● ㉠ 서울(표준어) 말
대화(나)	●	● ㉡ 경상도 말
대화(다)	●	● ㉢ 강원도 말
대화(라)	●	● ㉣ 충청도 말
대화(마)	●	● ㉤ 전라도 말
대화(바)	●	● ㉥ 제주도 말

어휘학습

뜻 보기에서, 아래의 설명에 알맞은 낱말을 찾아 쓰세요.

보기
> 엿장수   물웅덩이   소금쟁이

(1) 물이 괴어 있는 웅덩이.   (   )

(2) 긴 발끝에 털이 있어 물 위를 달릴 수 있는 곤충.   (   )

(3) 엿을 파는 사람. '소금쟁이'의 방언.   (   )

다지기 아래 문장의 빈칸에 알맞은 낱말을 보기에서 찾아 쓰세요.

보기
> 소금쟁이   물웅덩이   엿장수

(1) 천천히 흐르는 개울에는 ☐☐☐☐가 달리듯이 기어다닌다.

(2) 장마철이라서 마을의 곳곳에 ☐☐☐☐가 생겨 다니기 불편하다.

(3) 전라남도 목포에서는 소금쟁이를 ☐☐☐라고 부른다.

넓히기 다음 한자어의 구성과 뜻을 알아보고, 빈칸에 알맞은 한자어를 쓰세요.

> • **방언(方** 네모 방. **言** 말씀 언.) 어느 한 지방에서만 쓰는, 표준어가 아닌 말.
> • **비어(卑** 낮출 비. **語** 말씀 어.) 점잖지 못하고 상스러운 말.
> • **속담(俗** 풍속 속. **談** 말씀 담.) 예부터 전하여 오는 쉬운 깨우침의 말.

(1) 가볍게 던진 ☐☐ 한 마디를 새겨들어서 잘못을 저지르지 않게 되었다.

(2) 밝고 건전하게 살아가는 사람들은 ☐☐를 사용하지 않는다.

(3) 어느 한 지방에서만 쓰는 말을 ☐☐이라고 한다.

시간 공부 날짜 ☐ 월 ☐ 일
푸는데 걸린 시간 ☐ 분

확인 맞은 개수 써보기

| 독해 | ☐ 개/7개 | 어휘 | ☐ 개/9개 |

02

'도시'라고 하면 사람들이 많이 살고, 집도 많은 곳이라고 생각할 거예요. '많다'라고 할 수 있는 기준에 따라 도시에 대한 생각이 달라질 수 있겠죠. 우리나라 도시는 어떨까요?

접수
계산   1. [15점]   2. [15점]   3. [10점]   4. [15점]   5. [15점]   6. [15점]   7. [15점]

한 지역의 정치·경제·문화의 중심이 되고, 사람이 많이 사는 곳을 도시라고 합니다. 높은 건물과 아파트, 주택, 상점이 많은 것도 도시의 특징입니다. 사람 수보다 땅이 부족하므로 적은 면적에 많은 사람이 살 수 있는 집이 필요합니다. 또 땅값이 비싸므로 같은 면적에 높은 건물을 짓게 됩니다.

도시를 정하는 기준은 나라마다 다른데, 인구 밀도가 낮은 국가에서는 인구가 수백에서 수천 명만 되어도 도시가 될 수 있지만, 인구 밀도❶가 높은 국가에서는 인구가 수만 명 이상이어야 도시가 될 수 있습니다. 노르웨이처럼 인구 밀도가 낮은 나라에서는 200명으로도 도시가 될 수 있지만, 우리나라는 인구 밀도가 높아서 보통, 인구가 5만 명 이상이어야 도시가 될 수 있답니다.

우리나라는 도시의 수가 점차 늘어나고 있습니다. 1960년대에는 1개의 특별시와 26개의 시가 있었으나, 지금은 1개의 특별시와 6개의 광역시, 1개의 특별자치시를 포함하여 70여 개의 시로 늘어났습니다. 우리나라는 수도권❷에 많은 도시가 발달하였는데, ㉠이것은 교통과 산업이 수도권에 집중적으로 발달했기 때문입니다. 도시가 전국적으로 고르게 발달하고 있지 않으며, 주로 평야가 발달한 서쪽과 남쪽에 도시가 발달하였습니다. 남동쪽 해안에는 항구를 중심으로 공업 도시가 발달하여 있습니다.

참고 • 우리나라의 광역시: 인천, 대전, 광주, 부산, 울산, 대구   • 우리나라의 특별자치시: 세종   • 우리나라의 특별시: 서울

❶ 인구 밀도(人口密度) 일정한 지역의 단위 면적에 대한 인구수와 비율. 1km² 안의 인구수로 나타낸다.
❷ 수도권(首都圈) 수도를 중심으로 이루어진 대도시권. 우리나라는 서울, 인천, 경기 지역.

1
주제찾기

셋째 문단을 중심으로 글 전체의 내용을 잘 간추린 것은 어느 것입니까? ------- (   )

① 도시의 말뜻
② 도시의 큰 특징
③ 도시를 정하는 기준
④ 인구 밀도가 높은 도시
⑤ 우리나라 도시의 발달 방향

2
글감찾기

글감을 글에서 찾아 한 낱말로 쓰세요.

(   )

3
사실이해

우리나라에서 도시가 가장 잘 발달한 지역은 어디입니까? ------------- (   )

① 동부
② 서부
③ 남부
④ 수도권
⑤ 동남부

4
미루어알기

글을 읽고 알 수 있는 내용이 <u>아닌</u> 것은 무엇입니까? ------------ (   )

① 사람이 살 땅이 부족해지면 높은 건물을 짓는다.
② 정치·경제·문화의 중심에는 사람들이 많이 산다.
③ 국토의 면적이 넓은 나라는 도시의 수가 매우 적다.
④ 1970년대 이후 우리나라 도시의 수가 크게 늘어났다.
⑤ 우리나라 남동쪽 해안에 교통과 산업이 일찍부터 발달했다.

5
세부내용

㉠을 글의 흐름에 맞춰 알맞게 고쳐 쓴 것은 어느 것입니까? —————————— (   )

① 그 까닭은
② 이와 같아서
③ 도시라는 것은
④ 발달이라는 것은
⑤ 도시의 발달과 더불어

6
적용하기

보기 의 사실에 아래와 같이 판단하는 문장을 쓰려고 합니다. 빈칸에 알맞은 말을 쓰세요.

> 보기
>
> 우리나라와 일본은 5만 명 이상이어야 도시가 될 수 있지만, 포르투갈은 1만 명, 인도는 5천 명, 미국은 2천5백 명, 아르헨티나는 2천 명, 캐나다와 오스트레일리아는 1천 명, 노르웨이는 2백 명 이상이면 도시가 될 수 있다.

➪ 인구 밀도가 ① ☐☐ 나라에서는 인구가 수백에서 수천 명만 되어도

도시가 될 수 있지만, 인구 밀도가 ② ☐☐ 나라에서는 인구가 수만

명 이상이어야 도시가 될 수 있다.

7
요약하기

우리나라 도시의 발달 방향을 아래와 같이 간추리려고 합니다. 빈칸에 알맞은 낱말을 글에서 찾아 쓰세요.

> 우리나라의 도시의 수는 점차 늘어나고 있습니다. 특히 ① ☐☐
>
> ☐ 에 많은 도시가 발달하였는데, 교통과 ② ☐☐ 이 수도권에 집
>
> 중적으로 발달했기 때문입니다. ③ ☐☐☐ 해안에는 항구를 중
>
> 심으로 공업 도시가 발달하였습니다.

어휘학습

뜻　낱말의 뜻풀이로 알맞은 것을 보기 에서 골라 괄호 안에 기호를 쓰세요.

(1) 많다 (　　)
(2) 적다 (　　)
(3) 낮다 (　　)
(4) 높다 (　　)

보기
㉠ 수효나 분량, 정도가 일정한 기준에 미치지 못하다.
㉡ 수효나 분량, 정도 따위가 일정한 기준을 넘다.
㉢ 아래에서부터 위까지 벌어진 사이가 크다.
㉣ 높이가 기준이 되는 대상이나 보통 정도에 미치지 못하는 상태에 있다.

다지기　보기 에서 알맞은 낱말을 골라 아래 문장의 빈칸을 채우세요.

보기
많다　　적다　　낮다　　높다

(1) 도시에는 사는 사람이 ① ☐☐. 시골에는 사는 사람이 ② ☐☐.
(2) 우리나라는 인구 밀도가 ① ☐☐. 노르웨이는 인구 밀도가 ② ☐☐.

넓히기　다음 한자어의 구성과 뜻을 알아보고, 빈칸에 알맞은 한자어를 쓰세요.

- **도시**(都 도읍 도. 市 시가 시.) 일정한 지역의 정치·경제·문화의 중심이 되는, 사람이 많이 사는 지역.
- **수도**(首 머리 수. 都 도읍 도.) 한 나라의 중앙 정부가 있는 도시.
- **인구**(人 사람 인. 口 입 구.) 일정한 지역에 사는 사람의 수.

(1) 나라가 새로 세워지면 ☐☐를 정하고 정치, 경제, 문화의 중심지로 삼는다.

(2) 단위 면적에 사는 사람의 수가 많으면 ☐☐ 밀도가 높다고 한다.

(3) 우리나라의 서쪽에는 농산물이 거래되는 ☐☐가 발달하였다.

시간　공부 날짜 ☐ 월 ☐ 일
푸는데 걸린 시간 ☐ 분

확인　맞은 개수 써보기
독해 ☐ 개/7개　어휘 ☐ 개/9개

'옹기'는 우리의 전통 음식 문화와 뗄 수 없는 관계를 맺고 있는 그릇이에요. 그릇 말고 굴뚝이나 기와도 옹기로 만들었어요. 생활 전반에 영향을 미친 도구라고 봐도 좋겠네요. 옹기가 무엇인지, 어떤 뜻이 담긴 도구인지 살펴봐요.

 1. 15점 2. 10점 3. 15점 4. 15점 5. 15점 6. 15점 7. 15점

　우리나라의 전통 그릇인 옹기에 대하여 들어 본 적이 있습니까? 우리 주변에서 흔히 볼 수 있는 항아리와 뚝배기는 대표적인 옹기로서 자연 속에서 살아 숨 쉬는 그릇입니다. 옹기에 담긴 조상의 지혜와 슬기를 생각하여 봅시다.

　옹기는 진흙으로 구워 만든 질그릇과 이러한 질그릇에 잿물 유약을 입혀 윤이 나고 단단하게 만든 오지그릇을 합하여 부르는 말입니다. 이러한 옹기의 가장 큰 특징은 주변에서 쉽게 구할 수 있는 천연 재료로 만들어졌다는 점입니다. 그래서 우리 조상은 인체에 해롭지 않고 독성이 전혀 없는 옹기를 오랜 세월 동안 사용하여 왔습니다.

　옹기의 또 다른 중요한 특징은 숨을 쉬는 그릇이라는 점입니다. 옹기가 높은 온도에서 잘 구워지면 옹기의 내부에 있던 수분이 증발하여 옹기에 작고 미세한 숨구멍이 만들어집니다. 바로 이곳을 통하여 그릇 안과 밖의 공기가 서로 순환할 수 있게 되는 것입니다. 이러한 과학적인 원리를 통하여 만들어진 옹기는 저장하여 둔 음식물을 잘 익게 하고, 내용물을 오랫동안 썩지 않게 잘 보관할 수 있는 장점이 있습니다.

　우리나라는 전통적으로 음식물을 저장하는 데 항아리를 사용하였습니다. 항아리는 김치를 비롯하여 간장, 된장, 고추장, 젓갈, 술 등을 발효시키고 저장하는 발효 용구로서, 필수적인 생활 용기로 쓰여 왔습니다. 대표적인 질그릇 항아리 중에서 크기가 큰 것을 '독'이라고 부르는데, 그 쓰임새에 따라 장독, 물독, 쌀독, 김칫독, 술독 등으로 나눌 수 있습니다.

　또, 뚝배기는 높은 온도를 보존하여 주는 그릇으로 따뜻한 음식을 즐겨 먹는 우리의 식생활에 중요한 옹기입니다. 뚝배기는 조리 기구로서 높은 온도를 오랫동안 유지하여 주는 특징이 있으므로 은근한 불에서 오랜 시간 끓이는 탕, 국, 찌개 등을 조리하는 데 좋습니다. 뚝배기는 조리를 마친 뒤에도 그릇 자체가 열을 품고 있으므로 높은 온도를 계속 유지할 수 있어 한국 사람의 특성으로 대표되는 ㉠은근과 끈기의 상징으로 불리기도 합니다.

　시루는 우리나라가 농경 생활을 시작할 때부터 사용하였는데, 곡식을 가루 내어 증기를 이용하여 떡을 쪄내는 떡시루나 콩나물을 키우는 콩나물시루로 사용합니다. 시루는

떡을 찔 때 아래에서 올라오는 증기를 잘 받아들일 수 있도록 바닥에 여러 개의 구멍이 뚫려 있습니다. 불로 가열하는 동안 옹기의 특성인 은근한 열이 전달되기 때문에 떡을 찌는 데 꼭 맞는 기구입니다. 또, 우리 조상은 콩나물시루를 활용하여 추운 겨울 동안 실내에서 콩나물을 길러 부족한 비타민을 보충하기도 하였습니다.

한약을 달이는 약탕기도 옹기의 특징을 잘 활용한 그릇입니다. 주전자와 비슷한 모양을 한 이 그릇은 몸통이에 손잡이로 쓰이는 자루가 달려 있습니다.

옹기는 대부분 그릇으로 활용되었지만, 이외에도 집을 지을 때 굴뚝과 기와로도 쓰였습니다. 옹기로 만든 굴뚝은 여러 모양의 구멍을 뚫어 연기와 그을음이 잘 빠져나갈 수 있도록 하였습니다. 또, 기후 변화가 뚜렷한 우리나라는 추위와 더위에 잘 견딜 수 있도록 지붕을 덮어야 하는데, 이때 사용된 옹기 기와는 심한 더위나 장마에도 습기나 열을 간직하였다가 서서히 내뿜는 장점이 있습니다.

이처럼 예부터 우리 생활에서 다양하게 활용했던 옹기는 조상의 멋과 슬기가 담겨 있어 오늘날에도 많은 사람의 사랑을 받고 있습니다.

1
주제찾기

글쓴이가 말하고자 한 중심 내용은 무엇입니까? ─────────────── (   )

① 우리 주변에서 볼 수 있는 그릇　　② 옹기에 담긴 조상의 지혜와 슬기
③ 작고 미세한 숨구멍이 있는 그릇　　④ 토담과 어울린 정겨운 자연 풍경
⑤ 농사를 시작할 때부터 사용한 그릇

2
글감찾기

글감을 글에서 찾아 한 낱말로 쓰세요.

(   )

3
사실이해

실물을 떠올릴 수 있도록 설명한 옹기들을 찾으세요. ─────────── (   )

① 항아리, 뚝배기　　② 뚝배기, 시루　　③ 시루, 약탕기
④ 약탕기, 항아리　　⑤ 굴뚝, 기와

4

미루어알기

글을 읽은 뒤에, 생각을 **잘못** 말한 것은 어느 것인가요? ─────────── (   )

① 진흙만으로 훌륭한 그릇을 만들 수 있네.

② 옹기는 공기가 안팎으로 순환하는 그릇이네.

③ 잿물을 발라 구운 항아리가 값이 훨씬 비싸겠네.

④ 뚝배기로 찌개를 끓여놓으면 오랫동안 따듯하겠네.

⑤ 열을 간직하는 성질 때문에 옹기 기와를 선택했겠네.

5

세부내용

㉠의 이유로 알맞은 것은 어느 것입니까? ───────────── (   )

① 따뜻한 정을 느끼게 하기 때문에

② 한국인의 생김새를 닮아있기 때문에

③ 누구에게나 친근한 인상을 주기 때문에

④ 따스한 기운을 오랜 동안 지니고 있기 때문에

⑤ 소박한 인상이 부담 없이 다가서도록 하기 때문에

6

적용하기

아래 (1), (2)의 설명에 적합한 옹기의 이름을 글에서 찾아 쓰세요.

(1) 집에서 직접 콩나물을 기를 때 요긴하게 사용합니다. (   )

(2) 김치를 많이 담가 겨우내 장독대에 두고 먹으려고 합니다. 이것 중에서 크기가 큰 것을 '독'이라고 부릅니다. 김칫독도 이것의 일종입니다. (   )

7

요약하기

글의 내용을 요약하여 표를 만들었습니다. 빈칸을 채워 완성하세요.

옹기의 특징	① ☐ ☐ ☐ ☐ 로 만들어짐 → 독성이 없음. 숨을 쉬는 그릇.
옹기의 종류와 용도	항아리 : 간장, 된장, 고추장, 젓갈, 술 등을 저장하는 ② ☐ ☐ 용구. ③ ☐ ☐ ☐ : 조리 기구. 시루 : 떡을 찌거나 콩나물을 기름. 약탕기 : 한약을 달임. ④ ☐ ☐ : 연기와 그을음이 잘 빠지도록 함. 기와 : 더위와 추위를 견디도록 함.

어휘학습

뜻 낱말의 뜻풀이로 알맞은 것을 보기 에서 골라 괄호 안에 기호를 쓰시오.

(1) 뚝배기 (　　　)

(2) 옹기 　 (　　　)

(3) 시루 　 (　　　)

> 보기
> ㉠ 질그릇과 오지그릇을 통틀어 이르는 말.
> ㉡ 떡이나 쌀 따위를 찌는 데 쓰는 둥근 질그릇.
> ㉢ 찌개 따위를 끓이거나 설렁탕 따위를 담을 때 쓰는 오지그릇.

다지기 빈칸에 알맞은 단어를 보기 에서 골라 쓰세요.

> 보기
> 뚝배기　　옹기　　시루

(1) ☐☐에 떡을 찌거나 콩나물을 키웁니다.

(2) 음식물을 ☐☐에 저장하여 두면 오래 보관할 수 있어요.

(3) 찌개나 탕을 조리하는 데는 온도를 잘 유지해주는 ☐☐☐가 좋아요.

넓히기 다음 한자어의 구성과 뜻을 알아보고, 빈칸에 알맞은 한자어를 쓰세요.

- **옹기(甕** 독 옹. **器** 그릇 기.) 질그릇과 오지그릇을 통틀어 이르는 말.
- **용기(用** 쓸 용. **器** 그릇 기.) 어떤 일을 할 때 쓰는 그릇.
- **식기(食** 밥 식. **器** 그릇 기.) 밥을 담는 그릇.

(1) 갖가지 실험에서 사용할 ☐☐를 빈틈없이 준비하였다.

(2) 식당의 선반에는 크고 작은 ☐☐가 가지런히 놓여있다.

(3) 질그릇에 오짓물을 입혀 윤이 나는 ☐☐를 만들었다.

시간 공부 날짜 ☐ 월 ☐ 일

푸는데 걸린 시간 ☐ 분

확인 맞은 개수 써보기

독해	☐개/7개	어휘	☐개/9개

04

이야기에는 올바른 삶으로 이끌거나 깨달음을 주는 가르침이 담겨있어요. 이야기를 듣거나 읽을 때는 이러한 가르침의 내용을 잘 알아차려서, 자신의 삶과 견주어보는 일이 중요해요.

접수계산 1. 15점 2. 15점 3. 15점 4. 15점 5. 10점 6. 15점 7. 15점

　옛날, 어느 마을에 부지런한 농부가 살고 있었다. 농부는 열심히 일하여 욕심쟁이 부자 영감의 밭을 샀다. 그 밭은 돌멩이가 많아 농사를 지을 수 없는 밭이었다. 그래서 농부는 새벽부터 밭을 갈고 돌멩이를 골라내었다.

　그러던 어느 날, 농부가 열심히 괭이질을 하고 있는데 갑자기 괭이 끝에 무엇인가 부딪혔다. 농부가 땅을 깊이 파자 커다란 항아리가 나왔다. 항아리는 금 간 곳 하나 없이 말짱하였다. 일을 마친 농부는 항아리 안에 괭이를 넣어 집으로 돌아왔다.

　이튿날 아침, 농부는 밭에 나가려고 항아리 안에 넣어 둔 괭이를 꺼내었다. 그런데 항아리 안에는 괭이가 또 하나 들어 있었다. 농부는 다시 괭이를 꺼내었다. 그런데도 항아리 안에는 여전히 괭이가 있었다.

　'이거 혹시 요술 항아리가 아닐까?'

　이렇게 생각한 농부는 일부러 엽전 하나를 항아리 안에 넣었다가 꺼내어 보았다. 그랬더니 정말 항아리 안에 엽전이 그대로 남아 있는 것이었다. 꺼내고 또 꺼내어 엽전은 어느새 마당에 그득 쌓였다. 농부는 곧 부자가 되었다.

　이 소문은 온 마을에 퍼져 농부에게 밭을 판 욕심쟁이 부자 영감도 듣게 되었다. 부자 영감은 어떻게 하면 그 요술 항아리를 빼앗을 수 있을까 온갖 궁리를 하다가 농부를 찾아갔다.

　"여보게, 자네 집에 있는 그 요술 항아리는 어디에서 얻었는가?"

　"제 밭에서 파내었습니다."

　"나는 자네에게 밭만 팔았지 항아리까지 팔지는 않았네. 그러니까 어서 그 항아리를 내놓게." / "아닙니다. 항아리는 제 것입니다."

　농부와 부자 영감의 다툼은 끝이 없었다.

두 사람은 고을 원님에게 가서 판결을 받기로 하였다. 그런데 두 사람의 말을 듣자, 원님도 그 항아리가 몹시 탐이 났다.

"이 항아리 때문에 사이좋게 지내던 이웃이 서로 다투어서야 쓰겠느냐? 이 항아리는 관가에 보관하겠다. 그러면 너희도 싸우지 않고 잘 지내지 않겠느냐?"

㉠원님이 그럴듯하게 말하자, 농부와 부자 영감은 그대로 돌아갈 수밖에 없었다. 원님은 요술 항아리를 자기 집 대청마루에 옮겨 놓았다.

그날 저녁이었다. 원님의 아버지가 대청마루로 나왔다가 요술 항아리를 보게 되었다.

'웬 항아리인고? 무슨 맛있는 것이라도 들었나?'

원님의 아버지는 허리를 굽히고 안을 들여다보았다. 그러다가 그만 항아리에 빠지고 말았다.

[뒤의 이야기] 살려 달라는 소리에 달려온 원님은 항아리 속에서 아버지를 꺼내지만 또 다른 아버지가 계속 나오게 됩니다. 아버지들은 모두 자신이 진짜 아버지라고 호통을 치며 원님을 괴롭힙니다.

1
주제찾기

이야기를 통해 전하고자 한 교훈은 무엇입니까? ·· (   )

① 마술로 부자 되기
② 부자의 억지 부리기
③ 원님의 현명한 다툼 해결
④ 허황한 욕심에 대한 경계
⑤ 부지런히 일할 것을 권장함

2
글감찾기

이야기가 이루어지도록 한 물건을 글에서 찾아 쓰세요.

(   )

3
사실이해

등장인물에 대한 설명 중, 잘못된 것은 어느 것입니까? ··························· (   )

① 농부는 부지런히 일했다.
② 부자는 갈수록 욕심을 더 부린다.
③ 원님은 욕심 때문에 화를 입게 되었다.
④ 원님은 귀한 물건을 보고 욕심이 생겼다.
⑤ 농부는 자신의 노력으로 부자가 되었다.

4

미루어알기

결말이 아래와 같다고 할 때, 생략된 줄거리로 알맞을 것을 고르세요. ·········· (　　　)

> 항아리를 돌려받은 농부는 한참을 고민하다 원님을 위하여 항아리를 깨어 버리기로 결심합니다. 항아리를 깨자 원님의 아버지는 한 명만 남고 모두 사라집니다.

① 부자는 농부에게 사과하였다.
② 원님은 부자를 불러 크게 꾸짖었다.
③ 부자는 원님에게 항아리를 돌려주라고 했다.
④ 부자와 원님, 농부가 모여 항아리를 가질 사람을 결정했다.
⑤ 원님은 농부에게 항아리를 돌려주었지만 수많은 아버지는 사라지지 않았다.

5

세부내용

이야기의 시간적 배경을 알려주는 낱말은 어느 것입니까? ·········· (　　　)

① 옛날　　　　　　　　　② 돌멩이
③ 괭이　　　　　　　　　④ 항아리
⑤ 농부

6

적용하기

㉠으로 볼 때 이야기를 이끌어가는 사람의 입장과 거리가 먼 것은 어느 것인가요?
　　　　　　　　　　　　　　　　　　　　　　　　　　　　　　(　　　)

① 인물의 행동을 안다.　　　② 인물의 마음을 안다.
③ 이야기를 이끌어 간다.　　④ 직접 주인공으로 나온다.
⑤ 사건 전개를 다 안다.

7

요약하기

이야기의 흐름이 크게 바뀌는 것을 '반전'이라고 합니다. 위의 이야기에서 큰 반전 둘을 찾아낼 수 있습니다. 빈칸을 채우면서 정리하세요.

| 제1반전 | 농부가 ① □□□□□ 덕분에 큰 부자가 되었다. |
| 제2반전 | 원님의 ② □□□ 가 요술 항아리에 빠졌다. |

어휘학습

뜻 낱말의 뜻풀이로 알맞은 것을 보기 에서 골라 괄호 안에 기호를 쓰세요.

(1) 욕심쟁이 (　　　)

(2) 옹기장이 (　　　)

> **보기**
> ㉠ 옹기 만드는 일을 직업으로 하는 사람. '-장이'는 '그 것과 관련된 기술을 가진 사람'의 뜻을 더하는 말.
> ㉡ 욕심이 많은 사람을 낮잡아 이르는 말. '-쟁이'는 '그것 이 나타내는 속성을 많이 가진 사람'의 뜻을 더하는 말.

다지기 아래 문장의 빈칸에 알맞은 낱말을 보기 에서 찾아 쓰세요.

> **보기**
> 옹기장이　　　욕심쟁이

(1) 옹기 만드는 일을 직업으로 하는 사람은 □□□□ 라고 부른다.

(2) 욕심이 많다는 것은 사람의 속성이므로 욕심 많은 사람은 □□□□ 라고 불러야 한다.

넓히기 다음 한자어의 구성과 뜻을 알아보고, 빈칸에 알맞은 한자어를 쓰세요.

> • **농부**(農 농사 농. 夫 사내 부.) 농사짓는 일을 직업으로 하는 사람.
> • **농사**(農 농사 농. 事 일 사.) 씨나 모종을 심어 기르고 거두는 따위의 일.
> • **농악**(農 농사 농. 樂 노래 악.) 농부들 사이에 행하여지는 우리나라 고유의 음악.

(1) 이번 운동회에서 □□ 을 연주하자고 건의했다.

(2) 씨 뿌리기, 김매기, 거두기는 □□ 의 중요한 과정이다.

(3) 지금은 시골에서 젊은 □□ 를 보기가 대단히 어렵다.

시간 공부 날짜 □ 월 □ 일
푸는데 걸린 시간 □ 분

확인 맞은 개수 써보기
독해 □ 개 / 7개　　어휘 □ 개 / 7개

남이 칭찬해 주어서 힘이 나는 것은 분명하지요. 하지만 내가 스스로 잘한 일을 일깨워도 참 큰 힘이 되어요. 잘한 일에 표를 해가면서 확인해 보는 것도 괜찮을 것 같아요.

접수
계산   1. 15점   2. 15점   3. 15점   4. 15점   5. 10점   6. 15점   7. 15점

잘한 일은 동그라미표(○)다
잘못한 일은 가위표(×)다

오르막에 힘들어하는 / 수레가 있었지
밀어주면 동그라미표야. / 못 본 체하면 가위표

힘이 드는가 봐, 하고 / 밀어주었지
동그라미 하나

길에서 넘어진 아기 / 일으켜 주었지
동그라미 하나

학교서 돌아와 / 손과 발을 씻었지
이것도 동그라미표

동생과 놀아 주면 / 이것도 동그라미
엄마 일을 거들었지 / 이것도 동그라미

㉠동그라미표 쌓기 참 쉽네

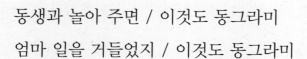

1
주제찾기

시에 담겨 있는 중심 생각은 무엇입니까? —————————————— ( )

① 잘못한 일 반성하기

② 엄마의 일손 거들기

③ 착한 일들을 실천하기

④ 힘든 일 서로 나누어 하기

⑤ 학교에서 집으로 바로 돌아오기

2
제목찾기

시에 나온 말로 알맞은 제목을 붙이세요.

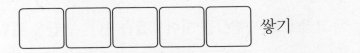

☐ ☐ ☐ ☐ ☐ 쌓기

3
사실이해

'가위표'에 해당하는 일은 어느 것입니까? —————————————— ( )

① 엄마 일 거들기

② 동생과 놀아주기

③ 학교에서 돌아와 손과 발 씻기

④ 길에서 넘어진 아기 일으켜 주기

⑤ 오르막에서 힘들어하는 수레 못 본 체하기

4
미루어알기

시를 읽고 자신의 경험과 관련지어 말한 것은 어느 것입니까? ———————— ( )

① 내 할 일만 잘하면 돼.

② 수레를 밀어줄 힘이 없어.

③ 가위표가 쌓여도 불편하지 않아.

④ 동생과 놀아주고 칭찬 받은 적이 있어.

⑤ 설거지거리가 없으면 칭찬도 받을 수 없어.

5

세부내용

⊙처럼 말한 이유는 무엇입니까? ──────────────────────── (   )

① 착한 일은 누구나 할 수 있으므로

② 조금만 힘쓰면 할 수 있는 일이므로

③ 자신이 한 일에 비해 보람이 매우 크므로

④ 엄마, 아빠의 칭찬이 바로 돌아오므로

⑤ 아무 데서나 할 수 있는 일이므로

6

적용하기

'동그라미'로 사행시를 지어보겠습니다. 빈칸을 채워 완성하세요.

동	동그랗게 마음에 ① ☐☐☐☐ 를 그려요.
그	② ☐☐ 으로 그려본 착한 일에도
라	라라라 ③ ☐☐☐☐☐ 기쁘게 한 일
미	④ ☐☐ 로 가득한 즐거운 하루

7

요약하기

시에서 말하는 사람이 시를 지은 뜻을 아래와 같이 간추려 보았습니다. 빈칸에 알맞은 낱말을 시에서 찾아 쓰세요.

바른 생활을 하기 위해 ① ☐☐ 일은 열심히 실천하고

② ☐☐☐ 일은 멀리하여야겠다고 다짐하는 뜻을 담고자 하였어요.

어휘학습

뜻 낱말의 뜻풀이로 알맞은 것을 보기 에서 골라 괄호 안에 기호를 쓰세요.

(1) 힘들다 (　　　)
(2) 거들다 (　　　)

보기
㉠ 남이 하는 일을 함께 하면서 돕다.
　　남의 말이나 행동에 끼어들어 참견하다.
㉡ 어렵거나 곤란하다.
　　마음이 쓰이거나 수고가 되는 면이 있다.

다지기 아래 문장의 빈칸에 알맞은 낱말을 보기 에서 찾아 쓰세요.

보기
힘든　　거든　　거들게　　힘들게

(1) 보기에 [　][　] 일을 혼자서 거뜬히 해치우다.

(2) 열심히 하다 보니까 옆에서 누가 [　][　] 줄도 몰랐다.

(3) 워낙 자존심이 강해서 일을 [　][　][　] 놔두질 않는다.

(4) 이웃이 혼자서 [　][　][　] 일하는 것을 바라만 보지 않는다.

넓히기 다음 한자어의 구성과 뜻을 알아보고, 빈칸에 알맞은 한자어를 쓰세요.

- **선행**(善 착할 선. 行 행할 행.) 착하고 어진 행실.
- **비행**(非 그를 비. 行 행할 행.) 잘못되거나 그릇된 행위.
- **악행**(惡 악할 악. 行 행할 행.) 남을 해치는 나쁜 행위.

(1) 그는 큰 벌을 받을 만한 [　][　]을 저지르고도 뉘우칠 줄 모른다.

(2) 그녀는 평생을 묵묵히 [　][　]하는 삶을 살았다.

(3) 선생님 앞에서는 착한 척 굴지만, 네 [　][　]은 곧 밝혀질 것이다.

시간 공부 날짜 [　]월 [　]일　　푸는데 걸린 시간 [　]분

확인 맞은 개수 써보기

독해	개/7개	어휘	개/9개

어휘 보기 의 낱말을 보고, 뜻과 어울리는 것을 골라 아래의 빈칸에 써보세요.

보기   선행   수도   단지   시루   거들다   방언   비어   용기

1. 남이 하는 일을 함께 하면서 돕다.

2. 떡이나 쌀 따위를 찌는 데 쓰는 둥근 질그릇.

3. 목이 짧고 배가 부른 작은 항아리.

4. 표준어와는 다른, 어떤 지역이나 지방에서만 쓰이는 특유한 언어.

5. 점잖지 못하고 상스러운 말.

6. 착하고 어진 행실.

7. 한 나라의 중앙 정부가 있는 도시.

8. 어떤 일을 할 때 쓰는 그릇.

어법 **다음 중 맞춤법에 맞는 것을 골라 동그라미 하세요.**

1. 연못 위 [소금쟁이 / 소금장이]를 봐.   2. 국을 [뚝배기 / 뚝베기]에 담았다.

3. 너는 정말 [욕심장이 / 욕심쟁이]야.   4. 집에 와서 손을 [씻었지 / 씼었지].

5. 높은 건물을 [짖자 / 짓자].   6. 그 도시는 인구밀도가 [높다 / 많다].

7. [오랫동안 / 오랬동안] 사권 친구.   8. 취미로 예쁜 [돌맹이 / 돌멩이]를 줍는다.

 확인 **나의 점수 확인하기**

어휘	개 / 8개	어법	개 / 8개

2주차

회차 / 영역	제목	계획 및 점검
06 인문|설명문	첫 생일을 축하하는 돌복 • 나는 ☐월 ☐일 ☐시에 공부할 것입니다.	• 독해력에서 나의 점수는 ☐점입니다. • 어휘력에서 맞은 문제수는 ☐개 / 9개 입니다. • 어려웠던 문제는 ＿＿＿＿ 번입니다.
07 사회|논설문	인구 문제와 해결을 위한 노력 • 나는 ☐월 ☐일 ☐시에 공부할 것입니다.	• 독해력에서 나의 점수는 ☐점입니다. • 어휘력에서 맞은 문제수는 ☐개 / 8개 입니다. • 어려웠던 문제는 ＿＿＿＿ 번입니다.
08 과학|설명문	생물 모방 과학 • 나는 ☐월 ☐일 ☐시에 공부할 것입니다.	• 독해력에서 나의 점수는 ☐점입니다. • 어휘력에서 맞은 문제수는 ☐개 / 8개 입니다. • 어려웠던 문제는 ＿＿＿＿ 번입니다.
09 산문문학|이야기	도깨비 수수께끼 내기 • 나는 ☐월 ☐일 ☐시에 공부할 것입니다.	• 독해력에서 나의 점수는 ☐점입니다. • 어휘력에서 맞은 문제수는 ☐개 / 8개 입니다. • 어려웠던 문제는 ＿＿＿＿ 번입니다.
10 운문문학|시	바다 • 나는 ☐월 ☐일 ☐시에 공부할 것입니다.	• 독해력에서 나의 점수는 ☐점입니다. • 어휘력에서 맞은 문제수는 ☐개 / 8개 입니다. • 어려웠던 문제는 ＿＿＿＿ 번입니다.

• 이번 주 독해력 문제에서 나의 점수는 평균 ☐점입니다.

• 이번 주 어휘력에서 맞은 문제수는 모두 ☐개입니다.

돌잔치에 가본 적이 있나요? 태어난 아기가 맞이하는 첫 생일에 치르는 행사가 돌잔치예요. 돌잔치에서 빠지지 않는 것이 돌복과 돌잡이이지요. 돌을 맞이한 아기가 돌복을 입고 돌잡이를 하지요.

점수계산   1. 15점 2. 15점 3. 15점 4. 10점 5. 15점 6. 15점 7. 15점

"그럼 하나하나 소개를 좀 해 줘."

"그럴까요? 먼저 풍차 바지는 이렇게 앞뒤가 트인 도련님의 바지예요."

남자아이 돌복 중 풍차 바지가 나와 트인 엉덩이를 실룩거리자 옷들이 웃음을 터뜨렸어요.

"푸하하, 왜 바지 엉덩이가 터졌어? 이름은 왜 또 풍차이고?"

"아이 옷이니까 대소변을 보기 편하게 엉덩이 쪽을 길게 트고, 그 터진 자리에 '풍차'라는 긴 헝겊 조각을 달아서 지은 바지랍니다. 그래서 이름이 풍차 바지예요. 혹시 바람에 돌아가는 풍차라고 생각하신 건 아니겠죠? 흐흐." / "아하, 그렇게 깊은 뜻이! 크큭."

"풍차 바지를 입고 나면 가장 기본이 되는 윗옷 저고리를 입어요. 돌 때는 특별히 알록달록 색동저고리를 입기도 해요. 그리고 그 위에 돌복의 주인공이라 할 수 있는 까치두루마기를 입고요." / 까치두루마기는 뽐내듯이 이리저리 움직여 보이며 말했어요.

"근데 네 이름도 참 특이하다. 왜 까치두루마기이지?"

"'까치 까치 설날은 어저께고요 우리 우리 설날은 오늘이래요' 이 노래 다들 아시죠? 저는 본래 까치설날에 입던 옷이에요. 까치설날은 우리 설날 하루 전이니까, 섣달그믐 그러니까 음력 12월 30일로 한 해의 마지막 날을 말하죠. 옛 어른들은 설날 하루 전에 까치가 좋은 소식을 전해 준다고 믿었어요. 그래서 아기 옷에 까치라는 이름을 붙여 좋은 일이 많이 있으라는 바람을 담은 것이지요." / "아기 옷 이름 하나에도 깊은 사랑을 담았구나."

돌복이 옷에 담긴 의미를 설명해 주자, 옷들은 알록달록한 돌복이 다 사랑스럽고 귀하게 보였어요.

"듣고 보니 돌복은 아이가 복을 받는 옷이네!"

"이제야 돌복을 제대로 이해하시네요. 헤헤."

돌복은 머리를 긁적이면서 자랑스러운 듯 웃음을 지었어요.

"그럼 여자아이의 돌복은? 남자아이 것과는 뭔가 다를 것 같은데?" / "호호, 저희 부르셨어요?"

작고 앙증맞은 다홍치마와 색동저고리가 기다렸다는 듯 옷들 앞에 모습을 보였어요.

"우리 아기씨는 돌잔치 날 고운 다홍치마에 색동저고리, 당의를 입었어요. 당의는 앞뒤가 무릎까지 내려오는 저고리예요. 머리에는 굴레라는 장식용 쓰개를 썼고요. 나중에는 굴레 대신 조바위라는 모자를 쓰는 아기씨들도 많았지만요."

까치두루마기는 아기씨 돌복이 반가워 손까지 흔들며 물었어요.

"너희 아기씨는 돌잡이 때 뭘 잡았어? 우리 도련님은 붓을 잡았는데, 그 때문이었는지 훌륭한 학자가 되셨지."

"돌잡이가 뭐야? 운명을 점치는 요술쟁이라도 되는 거야?"

옷들이 신기한 듯 말했어요. 그러자 도련님 돌복이 기다렸다는 듯 차근차근 설명해 주었어요.

"옛날 주인님들은 돌잔치 때 돌상을 차려 아기가 병 없이 건강하게 오래오래 행복하게 살도록 기원했어요. 이때 돌잡이 물건을 돌상에 같이 올려 주지요. 돌상에는 쌀밥과 미역국, 나물 말고도 오래 살라는 뜻에서 실타래와 국수, 부자로 살라는 뜻에서 쌀과 돈, 자손을 많이 낳고 행복하게 살라는 뜻에서 대추, 탈 없이 건강하게 살라는 뜻에서 수수팥떡, 공부를 잘하고 성공하라는 뜻에서 책과 붓, 용맹하라는 뜻에서 활과 화살 등을 아이 손이 닿는 곳에 놓아 주었어요. 그리고 아기가 집는 것으로 앞날을 점치는 거죠."

이번에는 아기씨 돌복이 말했어요.

"우리 주인님인 아기씨 경우에는 여자아이라서 실과 자, 색종이를 놓아 주었어요. 옛날에는 여자의 바느질 솜씨를 중요하게 여겼기 때문이에요. 집집마다 여자들이 직접 옷이나 이불을 꿰매서 만들어야 했으니까요. 이렇게 차린 돌상 앞에 돌복을 입은 아이를 앉히고 아이가 첫 번째나 두 번째 잡는 것으로 아이의 미래를 점쳐 보는데, 이것이 바로 '돌잡이', 또는 '돌잡히기'라고 했지요. 이러한 전통은 지금까지도 이어져서, 요즘에는 멋진 운동 선수나 예술가가 되라고 골프공이나 그림 붓을 놓아 주기도 한대요."

1
주제찾기

중심 내용을 가장 잘 정리한 것은 어느 것입니까? ─────────── (   )

① 돌맞이 행사의 절차　　　　　　② 돌맞이에서 주고받는 말

③ 돌복의 유래와 차림새의 모습　　④ 돌복을 입은 남자아이와 여자아이

⑤ 돌복의 구성 요소와 돌잡이 행사의 내용

2
글감찾기

글에서 스스로 말하면서 글감으로 되어 있는 것을 찾아 쓰세요.

(　　　　　　　　　　　)

3
사실이해

돌복 중, 도련님과 아기씨가 함께 입을 수 있는 것은 무엇입니까? ─────── (   )

① 풍차바지　　　② 색동저고리　　　③ 까치두루마기

④ 다홍치마　　　⑤ 조바위

4
미루어알기

의사가 되라는 뜻으로 돌상에 올릴 수 있는 물건은 무엇이겠습니까? ┄┄ (　　　)

① 실타래　　　　　② 쌀과 돈　　　　　③ 수수팥떡

④ 청진기　　　　　⑤ 그림붓

5
세부내용

낱말이 만들어진 방식이 넷과 <u>다른</u> 하나는 무엇입니까? ┄┄┄┄┄ (　　　)

① 굴레　　　　　　② 돌복　　　　　　③ 바람

④ 아기　　　　　　⑤ 웃음

6
적용하기

글의 내용을 연극으로 꾸미려고 합니다. 아래의 빈칸에 알맞은 말을 쓰세요.

> 돌을 맞은 남자 아기의 역할은 ① ☐☐☐ 이, 여자 아기의
>
> 역할은 ② ☐☐☐ 가 맡도록 꾸밉니다.

7
요약하기

글의 주요 내용을 둘로 나누어 아래의 표로 정리했습니다. 빈칸에 알맞은 낱말을 쓰세요.

돌복으로 갖추어야 할 것들	도련님 : ☐☐☐☐, 색동저고리, 까치두루마기 아기씨 : 다홍치마, 색동저고리, ② ☐☐, 굴레(조바위)
③ ☐☐☐ 로 돌상에 올리는 것들	도련님 : 실타래, 국수, 쌀과 돈, 대추, 수수팥떡, 책과 붓, ④ ☐ 과 ☐☐ 아기씨 : 실과 자, 색지, 도련님과 공통으로 올릴 수 있는 것들

어휘학습

해설편 03쪽

뜻 낱말의 뜻풀이로 알맞은 것을 보기에서 골라 괄호 안에 기호를 쓰세요.

(1) 윗옷　（　　　）

(2) 아래옷（　　　）

(3) 웃어른（　　　）

보기
- ㉠ 몸의 아래에 입는 옷.
- ㉡ 몸의 위에 입는 옷.
- ㉢ 나이나 지위, 신분, 항렬 따위가 자기보다 높아 모시는 어른.

다지기 아래 문장의 빈칸에 알맞은 낱말을 보기에서 찾아 쓰세요.

보기
윗옷　　아래옷　　웃어른

(1) 저고리, 두루마기처럼 몸의 위에 입는 옷이 ☐☐이다.

(2) 치마, 바지처럼 몸의 아래에 입는 옷이 ☐☐☐이다.

(3) '아래어른'이라는 말이 없기 때문에 '윗어른'이라고 적지 않고 ☐☐☐이라고 적는다.

넓히기 다음 한자어의 구성과 뜻을 알아보고, 빈칸에 알맞은 한자어를 쓰세요.

- **부자(富** 부유할 부. **者** 사람 자.) 재물이 많아 살림이 넉넉한 사람.
- **건강(健** 굳셀 건. **康** 편안할 강.) 몸도 마음도 아무 탈이 없고 튼튼함.
- **성공(成** 이룰 성. **功** 공 공.) 목적하는 바를 이룸.

(1) 운동은 않고 공부만 하다가는 ☐☐을 잃어버리기 십상이다.

(2) 게으른 사람은 ☐☐할 수 없다고 한다.

(3) 인색하고 정이 없다면 ☐☐라고 할지라도 결코 존경을 받지는 못한다.

시간 공부 날짜 ☐월 ☐일

푸는데 걸린 시간 ☐분

확인 맞은 개수 써보기

독해	☐개/7개	어휘	☐개/9개

07

점수 계산 1. 10점   2. 15점   3. 15점   4. 15점   5. 15점   6. 15점   7. 15점

　　1980년대까지만 해도 우리나라에서는 아이를 많이 낳으면 가정에서도 나라에서도 살림살이에 큰 짐이 된다고 하면서 아이를 적게 낳는 것을 중요한 정책의 하나로 삼았습니다. 이런 정책을 몇십 년 시행하다 보니 2000년대 들면서 인구 구성이 크게 변해서 인구 문제가 생기게 되었습니다. 인구 구성의 변화로 생긴 인구 문제 중 대표적인 것이 저출산과 고령화입니다.

　　저출산이란 아이를 적게 낳는 것을 말하는데, 아이를 적게 낳거나 아예 낳지 않는 가정이 늘어나면서 나타난 현상입니다. 우리나라에서는 1990년대 후반부터 이런 일이 벌어져서 시간이 지날수록 점점 더 심해지고 있습니다. 태어나는 아이의 수가 점점 줄어들면, 어른이 되어 생산에 종사할 사람의 수도 시간이 지날수록 줄어들 것이기 때문에 문제가 되는 것입니다. 고령화란 전체 인구에서 노인이 차지하는 비율이 높아지는 것을 뜻합니다. 우리나라에서는 2000년대 이후에 65세 이상 인구의 비율이 계속해서 크게 ㉠증가하고 있습니다. 고령화 역시 생산 가능한 인구의 수가 줄어들 수 있다는 점에서 큰 문제가 됩니다.

　　저출산은 여성의 사회 진출이 늘어나고, 결혼과 아이들에 대한 생각이 변화하고, 일자리와 소득이 불안정한 현실 등 여러 가지 원인에 의해 생긴 현상입니다. 여성이 남성과 동등한 권리를 가져야 한다는 주장이 힘을 얻으면서 사회 진출이 증가하게 되었는데, 이는 경제적인 자립❶을 가능하게 해서 왜 여성만 아이를 낳고 길러야 하는가 하는 생각이 들게 했습니다. 결혼은 꼭 해야 하며 아이를 꼭 낳아야 하는가 하는 의문이 여성들에게 꼬리를 물고 일어났습니다. 고령화의 원인은 비교적 간단히 분석될 수 있습니다. 사회 전반에 걸쳐 소득 수준과 복지가 확충❷되고 보니 평균 수명이 늘어나게 되었기 때문입니다.

　　우리나라는 어린아이를 키우는 부모들을 지원하기 위하여 육아 휴직 제도를 권장하며 실시하고 있습니다. 2001년부터 육아 휴직을 하는 사람에게 매달 일정한 금액을 ㉡지원하면서 남성들도 육아 휴직을 하기 시작하였습니다. 육아 휴직을 하는 남성은 2001년 2명에서 시작하여 2012년에는 1,790명으로 크게 늘었습니다. 또한, 우리나라의 각 지방 자치단체에서도 여러 가지 노력을 하고 있습니다. 서울특별시는 두 명 이상의

자녀를 둔 가정을 위하여 여러 가지 혜택을 받을 수 있는 다둥이 행복 카드를 만들었습니다. 다둥이 행복 카드를 사용하면 물건을 사거나 아이들과 관련된 시설을 이용할 때 할인을 받을 수 있습니다.

고령화 문제 해결을 위해서 여러 나라에서 다양한 방법을 실시하고 있습니다. 독일에서는 2012년부터 2029년까지 단계적으로 근로자의 정년을 늘려나가고 있습니다. 영국의 경우, 2006년부터 근로자의 나이에 따른 취업 제한을 없앴습니다. 또한, 50세 이상 근로자가 직업 훈련을 받을 수 있도록 지원하고 있습니다. 일본은 법을 만들어 정년 나이를 65세까지로 늘렸습니다. 네덜란드는 이른 나이에 퇴직하는 것을 막고, 65세 이후에도 계속 일할 수 있는 자리를 마련하였습니다.

낱말풀이 ❶ 자립 남에게 예속되거나 의지하지 아니하고 스스로 섬. ❷ 확충 늘리고 넓혀 충실하게 함.

1
주제찾기

글 전체에 걸쳐 다룬 중심 내용은 무엇입니까? ·········· ( )

① 저출산과 고령화 　　　　　② 저출산 정책의 시행
③ 고령화로 생기게 될 문제　　④ 여성의 사회 진출과 사회 변화
⑤ 소득과 복지의 확충에 따른 사회 변화

2
제목찾기

빈칸을 채워 글감이 무엇인지 밝히세요.

☐ ☐	문제

3
사실이해

글의 내용과 일치하지 <u>않는</u> 것은 어느 것입니까? ·········· ( )

① 1980년대부터 아이 낳기를 권장했다.
② 아이를 적게 낳으면 인구수가 줄어든다.
③ 2000년대 이후 고령화 현상이 뚜렷해졌다.
④ 여성이 직장을 얻어 경제적으로 자립하였다.
⑤ 복지가 확충되어서 평균수명이 늘어나게 되었다.

4

미루어알기

글의 짜임새로 보아서 반드시 더 넣어야 할 내용은 무엇입니까? ────── (　　)

① 2000년대 이후의 인구 정책

② 저출산이 큰 문제가 되는 이유

③ 고령화가 불러일으킬 문제적 상황

④ 우리나라에서 육아를 지원하는 노력

⑤ 우리나라에서 고령화를 해결하려는 노력

5

세부내용

㉠과 ㉡을 모두 바르게 바꾸어놓은 것은 어느 것입니까? ────── (　　)

① 늘어나고, 다가서면서

② 덧붙이고, 다가서면서

③ 늘어나고, 도와주면서

④ 줄어들고, 도와주면서

⑤ 덧붙이고, 살아나면서

6

적용하기

글의 내용을 바탕으로 강연을 하려고 주제문을 아래와 같이 작성했습니다. 빈칸에 알맞은 말을 넣으세요.

⇨ 저출산, 고령화 등으로 ① □□ 구성이 변화하면, 생산 가능 인구가

줄어들어 경제 ② □□ 이 더 어렵게 된다.

7

요약하기

글의 내용을 요약했습니다. 표의 빈칸에 알맞은 낱말을 넣으세요.

문제 상황의 확인	저출산, ① □□□ 로 인한 경제 성장의 둔화.
문제의 원인 분석	늘어난 여성의 ② □□□□. ③ □□□□ 이 늘어남.
④ □□ 을 위한 방안과 노력	출산과 육아에 대한 지원. 정년의 연장, 노인 일자리 확충.

어휘학습

뜻 낱말의 뜻풀이로 알맞은 것을 보기 에서 골라 괄호 안에 기호를 쓰세요.

(1) 늘다　（　　　）
(2) 늘리다（　　　）
(3) 늘이다（　　　）

보기
ㄱ 본디보다 더 길어지게 하다. 아래로 길게 처지게 하다.
ㄴ 길이나 넓이, 부피가 본디보다 커지다. 수나 분량 따위가 본디보다 많아지거나 무게가 더 나가게 되다.
ㄷ 물체의 넓이, 부피 따위를 본디보다 커지게 하다. 수나 분량 따위를 본디보다 많아지게 하거나 무게를 더 나가게 하다.

다지기 아래 문장의 빈칸에 알맞은 낱말을 보기 에서 찾아 알맞게 고쳐 쓰세요.

보기
늘다　　늘리다　　늘이다

(1) 방을 몇 칸 더 ☐☐☐ 식구들이 모두 함께 살 수 있도록 하다.
(2) 몸무게가 많이 ☐☐☐ 조금만 움직여도 숨이 가빠온다.
(3) 고무줄을 ☐☐☐ 소리가 나게 튕겼다.

넓히기 다음 한자어의 구성과 뜻을 알아보고, 빈칸에 알맞은 한자어를 쓰세요.

- **저출산(低** 낮을 저. **出** 날 출. **産** 낳을 산.) 아이를 적게 낳음.
- **고령화(高** 높을 고. **齡** 나이 령. **化** 될 화.) 한 사회에서 노인의 인구 비율이 높은 상태로 나타나는 일.

(1) 우리나라는 ☐☐☐ 현상이 더욱 심해져서 아이를 아예 안 낳는 가정도 늘어나고 있다.
(2) 공원에 노인들이 갈수록 많아지는 것을 보면 ☐☐☐ 가 얼마나 심한지 알 수 있다.

시간 공부 날짜 ☐ 월 ☐ 일
푸는데 걸린 시간 ☐ 분

확인 맞은 개수 써보기
독해 ☐ 개 / 7개
어휘 ☐ 개 / 8개

식물이나 동물의 생김새를 본떠서 발명품을 만들 수 있어요. 쉽사리 할 수 있는 일은 아니죠. 주변의 식물이나 동물의 생김새에 관심을 가지고 꾸준히 관찰하여 응용하는 힘을 길러야겠죠.

점수계산 1. 15점 2. 10점 3. 15점 4. 15점 5. 15점 6. 15점 7. 15점

우엉 가시는 생김새가 바늘과 같이 뾰족합니다. 끝부분이 나뭇가지 모양으로 갈라져 있으며 바늘 끝에 갈고리 같은 가시가 많이 있습니다. 스위스의 기술자 조지 드 메스트랄은 1941년 자신의 옷에 우엉 가시가 붙어 있는 것을 발견하고 현미경을 통해 우엉 가시에는 수많은 작고 튼튼한 갈고리가 있어서 사람이나 동물의 털에 잘 달라붙고 쉽게 떨어지지 않는다는 것을 발견하였습니다. 이런 생김새를 모방하여 한쪽 면에는 강력한 갈고리를 사용하고 다른 쪽 면에는 갈고리가 걸리는 둥근 고리를 만들어 두 면을 붙일 수 있는 매직 테이프를 발명하였습니다.

연꽃잎은 둥글고 넓적합니다. 현미경으로 확대하여 관찰하면, 표면에 작고 둥근 돌기❶가 많이 나 있습니다. 둥근 돌기에는 잔털 같은 것이 많이 있습니다. 연꽃잎에 나 있는 이러한 미세한 돌기와 연꽃잎 표면의 미끄러운 성분 때문에 연꽃잎은 빗방울에 젖지 않고 빗물을 흘려보냅니다. 이렇게 물에 젖지 않아 스스로 깨끗함을 유지하는 자기 세정 기능을 ㉠'연잎 효과'라고 합니다. 연잎 효과를 응용하여 물이 묻지 않고 흘러내리는 방수복이나 방수 페인트, 이물질이 묻어도 쉽게 떨어지는 옷감, 자동차 코팅❷제 등 많은 제품을 개발하였습니다.

게코의 발가락 바닥에는 사람의 손금처럼 작은 주름이 덮여 있는데, 주름은 다시 솜털로 덮여 있습니다. 게코가 벽과 천장에 붙어서 다닐 수 있는 비밀은 바로 발바닥에 있는 빨판에 있는데, 매우 강한 결합력을 지니고 있습니다. 게코의 발바닥에 있는 빨판은 강한 결합력을 만들어냅니다. 빨판 하나가 지탱하는 힘은 1만 분의 1그램 정도로 지극히 작지만, 발가락에는 수백 개의 빨판과 작은 솜털이 50만 개나 있어서, 발가락 하나로 수 킬로그램이나 되는 무거운 몸을 지탱할 수 있습니다.

최근 미국 스탠퍼드대학교에서는 미끄러운 벽을 빠르게 올라가는 게코의 능력을 갖춘 로봇, 즉 스티키봇(sticky bot)을 개발했습니다. 미국 국방성은 이 기술을 적용한 신발과 장갑에 큰 관심을 보이고 있습니다. 게코나 곤충의 발바닥처럼 강한 결합력을 이용하는 접착제를 개발하여 3M 테이프에 적용하면, 종이가 해어질³ 때까지 반복해서 사용할 수 있을 겁니다.

낱말풀이
❶ **돌기** 뾰족하게 내밀거나 도드라짐. 또는 그런 부분. ❷ **코팅** 물체의 겉면을 수지 따위의 엷은 막으로 입히는 일.
❸ **해어지다** 닳아서 떨어지다.

1
주제찾기

글의 주제를 알맞게 표현한 것은 어느 것입니까? ────────────── (   )

① 식물의 생김새는 복잡하다.
② 동물의 발바닥은 접착력이 있다.
③ 접착력을 활용하는 기술은 다양하다.
④ 생물은 사람에게 새로운 지혜를 일깨운다.
⑤ 생명체를 본떠서 발명품을 만들어 낼 수 있다.

2
제목찾기

빈칸을 채워 글의 제목을 완성하세요.

생명체 [ ] [ ] 기술

3
사실이해

글에서 다루지 <u>않은</u> 내용은 어느 것입니까? ────────────── (   )

① 우엉 가시는 생김새가 뾰족하다.
② 연꽃잎의 표면에 둥근 돌기가 있다.
③ 연꽃잎 표면에는 미끄러운 성분이 있다.
④ 게코의 발등은 온통 가는 솜털로 덮여 있다.
⑤ 게코의 발바닥에 있는 빨판은 강한 결합력을 만들어낸다.

4 글을 읽고 이끌어낸 생각으로 알맞은 것은 어느 것입니까? ———————————— ( )

미루어알기

① 가시의 성질을 응용하면 양면테이프를 만들 수 있어.

② 둥글고 넓적한 잎의 표면에는 작고 둥근 돌기가 있어.

③ 표면에 미세한 돌기가 있고 미끄러우면 비에 젖지 않아.

④ 발가락 사이에 작은 주름이 있으면 솜털이 많이 생기게 돼.

⑤ 발가락의 힘을 결합하여 미끄러운 벽을 빠르게 올라갈 수 있어.

5 ㉠의 핵심 내용으로 알맞은 것은 무엇입니까? ———————————— ( )

세부내용

① 강하게 붙이기　　　　　　　② 서로를 밀어내기

③ 겉을 미끄럽게 하기　　　　　④ 스스로 깨끗하게 하기

⑤ 미끄러운 면에서 굴리기

6 글을 읽고 아래와 같은 생각을 했을 때, 빈칸에 알맞은 말을 보기 에서 찾아 넣으세요.

적용하기

> 보기
>
> 방망이, 철조망, 사다리

> 덩굴장미는 둥근 모양으로 덩굴을 만들며 자랍니다.
> 덩굴장미에는 가시가 많아 사람이나 동물이 접근하기 어렵습니다.
> ⇨ 가시 □□□ (으)로 울타리를 만들면, 야생동물의 침입을 막을 수 있습니다.

7 글의 둘째 문단 주요 내용을 아래의 표로 간추렸습니다. 빈칸을 채워 완성하세요.

요약하기

모방 대상	모방 원리	기술 활용 분야
연꽃잎	둥근 돌기의 표면 장력. ① □□ 의 미끄러운 성분. ② □□ 효과.	③ □□□ , 방수 페인트, 이물질이 묻어도 쉽게 떨어지는 옷감, 자동차 코팅제 등.

어휘학습

뜻 낱말의 뜻풀이로 알맞은 것을 보기에서 골라 괄호 안에 기호를 쓰세요.

(1) 생김새 (   )
(2) 걸음새 (   )
(3) 짜임새 (   )

보기
㉠ 걸음의 상태. '-새'는 '모양', '상태', '정도'의 뜻을 더하는 꼬리말.
㉡ 생긴 모양새. '-새'는 '모양', '상태', '정도'의 뜻을 더하는 꼬리말.
㉢ 짜인 모양새. '-새'는 '모양', '상태', '정도'의 뜻을 더하는 꼬리말.

다지기 아래 문장의 빈칸에 알맞은 낱말을 보기에서 찾아 쓰세요.

보기
걸음새   짜임새   생김새

(1) 강아지를 데리고 산책을 나온 그의 ☐☐☐가 이상하다.

(2) 오랜 동안의 노력 끝에 마침내 ☐☐☐가 좋은 가구가 만들어졌다.

(3) 첫눈으로도 ☐☐☐가 낯설고 옷차림도 이상했다.

넓히기 다음 한자어의 구성과 뜻을 알아보고, 빈칸에 알맞은 한자어를 쓰세요.

- **미세(微** 작을 미. **細** 가늘 세.**)하다.** 알아차리기기 어려울 정도로 아주 작다.
- **개발(開** 열 개. **發** 필 발.**)하다.** 세상에 없던 것을 새로 만들어내다. 지식이나 재능 따위를 발달하게 하다.

(1) 제약사에서 연구를 거듭하여 전염병을 물리칠 새로운 약을 ☐☐하다.

(2) 세균은 보통 우리의 맨눈으로는 볼 수 없을 만큼 ☐☐하다.

시간 공부 날짜 ☐ 월 ☐ 일
푸는데 걸린 시간 ☐ 분

확인 맞은 개수 써보기

독해	☐ 개 / 7개	어휘	☐ 개 / 8개

옛날 이야기에는 착한 일을 권하고 나쁜 일을 말리는 내용이 많아요. 한편 교훈을 담지 않고 순전히 심심풀이 삼아 재미로만 꾸민 이야기도 참 많아요. 옛날 이야기를 듣거나 읽다보면 도깨비들은 수수께끼를 참 좋아하는 것 같아요. 사람을 골려서 잡아먹으려는 도깨비에 대항하여 지혜로 멋지게 수수께끼 승부를 내는 이야기를 재미있게 읽어봅시다.

 1. 15점 2. 15점 3. 10점 4. 15점 5. 15점 6. 15점 7. 15점

옛날 어느 마을에 나무꾼이 살았는데 깊은 산 속에 가서 나무를 한 지게 해 왔지. 그런데 나뭇짐을 뒤란❶에 부려❷ 놓고 보니까 어라, 도끼가 안 보이네. 깜빡 잊고 도끼를 산에 놓고 온 거야. / 도끼를 찾으러 가려고 했더니 벌써 날이 까무룩 저물었어.

이것 참 큰일은 큰일이지 나무꾼이 도끼를 잃어버리면 뭘 해서 벌어먹고 사냔 말이야.

나무꾼은 망설이고 망설이다가 큰맘 먹고 컴컴한 산길을 더듬더듬 올랐지. 돌부리에 차이고 나뭇가지에 긁히면서 나무하던 자리를 찾아갔지.

그런데 어이쿠, 이게 웬일이냐! 사방에 도깨비가 우글우글한 거야. 노래하고 춤추고, 웃고 떠들고, 먹고 마시고 도깨비들 잔치판이 벌어졌어.

"이키, 내가 도깨비 소굴에 들어왔구나."

나무꾼이 도로 내려갈까 어쩔까 망설이고 있는데 도깨비가 하나 불쑥 나서더니 넙죽 인사부터 하네. / "아이구, 아재 지금 올라옵니까?" / "그래, 볼일이 있어서 왔다."

"헤헤, 안 그래도 올 줄 알고 기다리고 있었지요."

"네가 왜 날 기다리냐?"

"헤헤, 이거 찾으러 올 줄 알았지." 그러면서 도깨비가 도끼를 쑥 내미는 거야.

"내 도끼를 다 찾아 주다니, 고맙기도 해라."

나무꾼은 반가워서 도낏자루를 꽉 잡았어. 그런데 아무리 당겨도 꼼짝을 안 하네. 도깨비가 꼭 잡고 놓아주질 않는 거야.

"헤헤, 우리 터에 놓고 간 도끼를 그냥 넘겨줄 수야 있나요."

"그럼 어찌해야 줄 테냐?" / "수수께끼 내기를 해서 이기면 두말하지 않고 내주지요."

"그럼 내가 지면 어쩔 테냐?" / "헤헤, 그러면 아재는 우리 밥이 돼야지요."

잡아먹는다니 좀 무섭기는 해도 도끼를 찾으려면 어쩔 수 없지 뭐.

나무꾼은 수수께끼 내기를 하자고 했지. 그러자 도깨비가 먼저 수수께끼를 냈어.

"아재 아재, 동쪽 하늘 끝에서 서쪽 하늘 끝까지 해가 하루에 몇 만 리나 돌게?"

"이 한심한 도깹아, 몇 만 리를 돌긴 무슨 몇 만 리를 도누. 새끼손가락에서 엄지손가락까지 한 뼘이면 될 걸."

나무꾼은 이마 위에 손을 펼치면서 말했지. / "아이코, 진짜 그렇구나!"

도깨비는 무릎을 탁 쳤어. 그러자 뒤에 있던 도깨비가 썩 나서더니 그렇게 쉬운 수수께끼를 내면 어쩌냐고 투덜거리면서 자기가 수수께끼를 냈어.

"아재 아재, 저 산을 넘고 내를 건너고 들판을 지나면 바다가 나오는데, 그 바닷물은 몇 쪽배기❸나 되지?"

"이 멍청한 도깹아, 바닷물이 무슨 몇 쪽배기나 되누. 바다만 한 쪽배기로 딱 한 쪽배기면 될 걸." / "아이코, 진짜 그렇다!" / 도깨비는 무릎을 탁 쳤어.

이번에는 나무꾼이 수수께끼를 낼 차례야. 나무꾼은 몸을 옆으로 건들건들 흔들면서 수수께끼를 냈어.

"도깹아 도깹아, 내가 지금 곧 자빠질 건데 왼쪽으로 자빠질까, 오른쪽을 자빠질까?"

그 말을 듣고 도깨비들은 ㉠눈알이 똥그래져서 자기들끼리 멀뚱멀뚱 바라보기만 하네.

왼쪽으로 자빠진다고 하면 오른쪽으로 자빠질 테고, 오른쪽으로 자빠진다고 하면 왼쪽으로 자빠질 거 아니야. 도깨비는 수수께끼를 못 풀고 바닥에 털썩 주저앉았어.

"아이고, 아재가 이기고 우리가 졌네."

도깨비들은 두말하지 않고 나무꾼에게 도끼를 건네주었지. 그리고 잔뜩 풀이 죽어 더 깊고 깊은 숲 속으로 가 버렸지. 나무꾼은 도깨비한테서 찾은 도끼로 나무를 많이 해서 오래오래 잘 먹고 잘 살았다지.

 낱말풀이 ❶ 뒤란 집 뒤 울타리의 안. ❷ 부리다 (짐을) 풀어 내려놓다. ❸ 쪽배기 '바가지'의 방언

1
주제찾기

이야기를 이끌어가는 주된 내용의 요소는 무엇인가요? ──────── ( )

① 나무꾼의 불행 　　　　　② 도깨비의 수수께끼

③ 나무꾼의 기발한 지혜 　　④ 도깨비와 나무꾼의 대화

⑤ 나무꾼이 부자가 된 사연

2
제목찾기

등장인물을 중심으로 글의 제목을 붙여 보세요.

⇨ ☐☐☐ 과 ☐☐☐

3

사실이해

이야기에 나타난 것과 어긋나는 사건은 어느 것입니까? —————————— (   )

① 나무꾼이 도끼를 잃어버렸다.

② 나무꾼이 컴컴한 산길을 올랐다.

③ 나무꾼이 산중에서 도깨비를 만났다.

④ 나무꾼이 지혜롭게 수수께끼를 잘 풀었다.

⑤ 나무꾼이 도깨비들에게 수수께끼 내기를 하자고 말했다.

4

미루어알기

㉠의 까닭으로 가장 알맞은 것은 어느 것입니까? —————————— (   )

① 놀랍고 당황스러워서   ② 말뜻을 알아듣지 못해서

③ 예상했던 질문이어서   ④ 자신들의 약점을 찔린 듯해서

⑤ 도망갈 궁리만 하고 있던 터여서

5

세부내용

나무꾼의 성격으로 알맞은 것은 무엇입니까? —————————— (   )

① 심술궂다   ② 대범하다   ③ 장난스럽다

④ 신경질적이다   ⑤ 다정다감하다

6

적용하기

학교신문에 이 이야기를 소개하기 위해 알림 문구를 아래와 같이 썼습니다. 빈칸에 알맞은 낱말을 쓰세요.

⇨ 도깨비들의 어리석은 질문에 ☐☐☐☐ 맞선 나무꾼의 이야기!!!

7

요약하기

이야기의 사건을 중심으로 내용을 간추렸습니다. 빈칸을 채워보세요.

나무꾼이 산에서 나무를 하고 ① ☐☐ 를 산에 두고 왔다. 날이 저문 뒤에 나무꾼은 도끼를 찾으러 다시 산에 올라갔다. 도깨비가 나무꾼에게 ② ☐☐☐☐ 내기를 해서 이기면 도끼를 돌려주겠다고 하였다. 나무꾼은 ③ ☐☐ 를 마음껏 발휘하여 내기에 이겨 도끼를 되찾았다.

어휘학습

뜻 낱말의 뜻풀이로 알맞은 것을 보기 에서 골라 괄호 안에 기호를 쓰세요.

(1) 까물까물 (　　)

(2) 더듬더듬 (　　)

(3) 우글우글 (　　)

보기
- ㉠ 벌레나 짐승, 사람 따위가 한곳에 빽빽하게 많이 모여 자꾸 움직이는 모양.
- ㉡ 작고 약한 불빛 따위가 사라질 듯 말 듯 자꾸 움직이는 모양.
- ㉢ 무엇을 찾거나 알아보려고 손으로 자꾸 이리저리 만지는 모양.

해설편 05쪽

다지기 아래 문장의 빈칸에 알맞은 낱말을 보기 에서 찾아 쓰세요.

보기

더듬더듬	까물까물	우글우글

(1) 나무꾼은 컴컴한 산길을 [　][　][　][　] 올라가서 나무하던 데로 다시 갔다.

(2) 도끼를 찾으려 했더니 벌써 날이 [　][　][　][　] 저물어 가고 있었다.

(3) 나무꾼은 도깨비들이 [　][　][　][　] 들끓는 도깨비굴에 들어갔다.

넓히기 다음 한자어의 구성과 뜻을 알아보고, 빈칸에 알맞은 한자어를 쓰세요.

- **승부(勝** 이길 승. **負** 질 부.**)** 이김과 짐.
- **지혜(智** 슬기 지. **慧** 슬기로울 혜.**)** 사물의 도리나 이치를 잘 가려내는 능력. 슬기.

(1) 나무꾼과 도깨비는 수수께끼로 [　][　]를 가리기로 하였다.

(2) 나무꾼은 [　][　]를 발휘하여 어리석은 도깨비들을 물리쳤다.

시간 공부 날짜 [　]월 [　]일

푸는데 걸린 시간 [　]분

확인 맞은 개수 써보기

독해	[　]개/7개	어휘	[　]개/8개

10

점수
계산 1. [15점] 2. [10점] 3. [15점] 4. [15점] 5. [15점] 6. [15점] 7. [15점]

㉠바다는 엄마처럼
가슴이 넓습니다.
온갖 물고기와
조개들을 품에 안고
파도가
칭얼거려도
다독다독 달랩니다.

㉡바다는 아빠처럼
못하는 게 없습니다.
시뻘건 아침 해를
번쩍 들어 올리시고
배들도
갈매기 떼도
둥실둥실 띄웁니다.

1 시를 새겨 읽고 떠올릴 수 있는 생각은 무엇입니까? ─────────── (   )

주제찾기

① 엄마의 외로움

② 아빠를 향한 그리움

③ 엄마 아빠의 자식 사랑

④ 바다가 들려주는 포근한 노래

⑤ 바다에 떠 있는 여러 가지 물건들

해설편
05쪽

2 글감이 무엇인지 시에서 찾아 쓰세요.

글감찾기

(   )

3 ㉠과 ㉡에서 공통적으로 떠올릴 수 있는 표현의 특징은 무엇입니까? ──────── (   )

사실이해

① 두 사람을 나란히 놓고 견주고 있다.

② 두 사람이 서로 다르다는 사실을 밝히고 있다.

③ 차이점을 드러내고, 차이가 난 까닭을 밝히고 있다.

④ 빗대어 표현하고, 그렇게 빗댄 까닭을 드러내고 있다.

⑤ 하나의 물건을 놓고, 거기에 여러 가지 뜻을 덧붙이고 있다.

4 시에서 대상으로부터 떠올린 느낌으로 알맞은 것은 어느 것입니까? ─────────── (   )

미루어알기

① 밝다

② 어둡다

③ 모자라다

④ 넉넉하다

⑤ 어수선하다

5 이런 시를 읽을 때 자신이 겪은 일과 관련지으면 어떤 점이 좋은가요? ············ (   )

세부내용

① 시를 빨리 감상할 수 있다.

② 시의 내용을 더 잘 이해할 수 있다.

③ 시와 나의 생각을 비교할 필요가 없다.

④ 시와 관련된 나의 경험을 자랑할 수 있다.

⑤ 시를 자신의 경험에 한정하여 감상할 수 있다.

6 시를 읽고 생각하거나 느낀 점을 그림으로 나타내는 방법을 아래와 같이 정리했습니다. 빈칸을 채워 보세요.

적용하기

시의 ① ☐☐ 떠올려 보기

↓

시의 내용과 관련된 자신의 ② ☐☐ 떠올리기

↓

무엇을 표현하고 싶은지 알아보기 쉽게 그리기

↓

어떠한 경험인지 알 수 있게 간단히 글로 쓰기

7 시의 내용을 아래와 같이 간추렸습니다. 빈칸에 알맞은 말을 시에서 찾아 쓰세요.

요약하기

1연	바다는 엄마처럼 가슴이 ① ☐☐☐☐
2연	바다는 아빠처럼 ② ☐☐☐ 게 없습니다.

뜻 낱말의 뜻풀이로 알맞은 것을 보기 에서 골라 괄호 안에 기호를 쓰세요.

(1) 안다 (　　)

(2) 품다 (　　)

보기
ⓐ 품속에 넣거나 가슴에 대어 안다. 기운 따위를 지니다.
ⓑ 가슴 쪽으로 끌어당기거나 그렇게 하여 품 안에 있게 하다. 손해나 빚 또는 책임을 맡다.

다지기 아래 문장의 빈칸에 알맞은 낱말을 보기 에서 찾아 쓰세요.

보기
안은　　품고　　품은　　안고

(1) 어린 딸을 [　][　] 두 팔이 아파왔지만 꾹 참았다.

(2) 암탉이 알을 [　][　], 장닭은 우렁차게 울어댄다.

(3) 큰 뜻을 [　][　] 아이답게 눈빛이 예사가 아니다.

(4) 엄마는 슬픔을 혼자서 [　][　] 살겠다고 한다.

넓히기 다음 한자어의 구성과 뜻을 알아보고, 빈칸에 알맞은 한자어를 쓰세요.

- **인자**(仁 어질 인. 慈 사랑 자) 마음이 어질고 자애로움.
- **유능**(有 있을 유. 能 능할 능.) 어떤 일을 남들보다 잘하는 능력이 있음.

(1) 일을 잘하는 [　][　]한 인물을 이장으로 뽑았다.

(2) 아이들의 농담에 선생님이 [　][　]하게 웃으셨다.

시간 공부 날짜 [　]월 [　]일
푸는데 걸린 시간 [　]분

확인 맞은 개수 써보기

독해	[　]개 / 7개	어휘	[　]개 / 8개

어휘 보기의 낱말을 보고, 뜻과 어울리는 것을 골라 아래의 빈칸에 써보세요.

보기 | 아예　모방　섣달그믐　실타래　급기야　늘이다　늘다　늘리다

1. 음력으로 한 해의 마지막 날.

2. 미리 또는 처음부터. 일시적이거나 부분적이 아니라 전적으로. 또는 순전하게.

3. 실을 쉽게 풀어 쓸 수 있도록 한데 뭉치거나 감아 놓은 것.

4. 본디보다 더 길어지게 하다.

5. 물체의 넓이, 부피 따위를 본디보다 커지게 하다.

6. 다른 것을 그대로 본떠서 만들거나 옮겨 놓음.

7. 길이, 넓이, 부피 따위가 본디보다 커지다.

8. 끝에 가서 결국에.

어법 다음 중 맞춤법에 맞는 것을 골라 동그라미 하세요.

1. [헝겊 / 헝겁]으로 만든 인형

2. 머리를 [그쩍였다 / 긁적였다].

3. [돌잡이 / 돌잪이]로 실을 잡았다.

4. 발로 [꿰메도 / 꿰매도] 이보단 낫겠다!

5. 쌀을 던져서 [앞날 / 압날]을 점쳤다.

6. [윗어른 / 웃어른]께 공손해야 한다.

7. [웃옷 / 윗옷]을 벗었다.

8. 낯선 [생김세 / 생김새]에 조금 놀랐다.

9. [미새 / 미세] 먼지가 심하다.

10. 이게 [웬일이냐 / 왠일이냐]?

확인 **나의 점수 확인하기**

어휘	개 /　　8개	어법	개 /　　10개

3주차

회차 / 영역	제목	계획 및 점검
11 인문|설명문	하늘을 나는 꿈 • 나는 [ ]월 [ ]일 [ ]시에 공부할 것입니다.	• 독해력에서 나의 점수는 [ ]점입니다. • 어휘력에서 맞은 문제수는 [ ]개 / 9개 입니다. • 어려웠던 문제는 _____ 번입니다.
12 사회|논설문	고정관념이 만들어낸 콤플렉스 • 나는 [ ]월 [ ]일 [ ]시에 공부할 것입니다.	• 독해력에서 나의 점수는 [ ]점입니다. • 어휘력에서 맞은 문제수는 [ ]개 / 7개 입니다. • 어려웠던 문제는 _____ 번입니다.
13 과학|설명문	용수철의 여러 가지 쓰임 • 나는 [ ]월 [ ]일 [ ]시에 공부할 것입니다.	• 독해력에서 나의 점수는 [ ]점입니다. • 어휘력에서 맞은 문제수는 [ ]개 / 6개 입니다. • 어려웠던 문제는 _____ 번입니다.
14 산문문학|이야기	지우개 따먹기 법칙 • 나는 [ ]월 [ ]일 [ ]시에 공부할 것입니다.	• 독해력에서 나의 점수는 [ ]점입니다. • 어휘력에서 맞은 문제수는 [ ]개 / 6개 입니다. • 어려웠던 문제는 _____ 번입니다.
15 운문문학|시	우리 엄마 • 나는 [ ]월 [ ]일 [ ]시에 공부할 것입니다.	• 독해력에서 나의 점수는 [ ]점입니다. • 어휘력에서 맞은 문제수는 [ ]개 / 7개 입니다. • 어려웠던 문제는 _____ 번입니다.

• 이번 주 독해력 문제에서 나의 점수는 평균 [ ]점입니다.

• 이번 주 어휘력에서 맞은 문제수는 모두 [ ]개입니다.

53

11

신화에는 우리가 하고 싶어하는 꿈이 실려 있어요. 할 수 없거나 하기 어렵기 때문에 꿈을 꾸는 것이죠. 하지만 이런 신화의 꿈을 실현해 보려고 노력하는 사람들이 있어요. 과학의 힘을 빌려서 하지요.

점수
계산
1. [15점] 2. [15점] 3. [10점] 4. [15점] 5. [15점] 6. [15점] 7. [15점]

옛날부터 사람들은 새처럼 하늘을 나는 꿈을 꾸었다. 그리스 신화에 나오는 다이달로스와 이카로스 이야기에는 새처럼 하늘을 날고 싶어 하는 사람들의 꿈이 잘 드러나 있다. 용감하고 호기심이 강한 몇몇 사람은 이야기에 나오는 이카로스처럼 직접 날개를 만들어 몸에 붙인 뒤에 높은 곳에서 뛰어내리기도 하였지만 날기에 성공한 사람은 없었다. 한편 레오나르도 다빈치는 최초로 하늘을 나는 것에 대하여 과학적으로 연구하였고 나는 기계를 설계하였으나 결국 하늘을 날 수는 없었다.

새처럼 나는 것에 실패하자 사람들은 여러 가지 다른 방법으로 하늘을 나는 꿈에 도전하였다. 독일의 릴리엔탈을 비롯한 많은 사람은 바람의 힘을 이용한 글라이더❶를 만들어 날기에 도전하였다. 그리고 더운 공기가 차가운 공기보다 가벼운 원리를 이용하여 하늘로 떠오르게 만든 열기구와 비행선으로 날기에 도전하기도 하였다. 하지만 이러한 도전은 자유롭게 하늘을 나는 꿈을 만족하게 하기에는 부족하였다. 오랫동안 날 수 없었고 속도가 느렸으며, 자유자재❷로 방향을 바꾸기도 힘들었을 뿐만 아니라 위험하였기 때문이다.

1903년, 마침내 미국의 라이트 형제가 플라이어 1호를 타고 세계 최초로 유인 동력 비행에 성공하였다. 유인 동력 비행은 사람이 비행기에 타고 엔진의 힘을 이용하여 하늘을 나는 것을 뜻한다. 이 비행기가 비행선과 다른 점은 공기보다 가벼운 기체를 사용하지 않고 ㉠양력을 이용하여 날아올랐다는 것이다. 비록 3미터 높이로 떠서 12초 동안 36미터를 날아간 것에 불과하지만, 라이트 형제의 비행 성공은 하늘을 나는 꿈을 이루기 위한 멋진 첫걸음이 되었다.

라이트 형제의 비행이 성공한 뒤에 많은 사람의 노력이 더해지면서 비행기는 놀라울 정도로 발전하였다. 과학자들은 비행기의 엔진과 날개를 계속 발전시켜 비행 거리와 속도를 꾸준히 늘려 갔다. 두 번의 세계 대전은 절대 있어서는 안 될 슬픈 일이었지만, 비행기의 성능을 향상하는 데는 많은 영향을 주었다. 각 나라가 전쟁에 승리하기 위하여 많은 돈을 들여 더 우수한 전투기를 생산하였기 때문이다. 한편 제트 기관의 발명은 비행기의 성능을 깜짝 놀랄 만큼 발전시켰다. 제트 기관 덕분에 과학자들은 현재 우리가 볼 수 있는 초대형 여객기를 만들 수 있었다.

오늘날 비행기는, 발전된 기술을 바탕으로 하여 하늘을 날고 싶어 하였던 사람들의 다양한 꿈을 이루게 하고 있다. 초음속 비행기의 등장으로 소리의 이동 속도보다 더 빠르게 날고 싶었던 사람들의 꿈이 이루어졌다. 대형 제트 수송기의 등장으로 더 많은 사람을 태우고 더 멀리 날아가고 싶었던 사람들의 희망이 실제로 이루어졌다. 중세 시대 레오나르도 다빈치의 생각 속에서만 존재하였던 헬리콥터는 현재 전 세계의 하늘을 누비고 있다. 다가올 미래에 사람들은 과거에는 상상조차 못 하였던 놀라운 모습으로 하늘을 나는 꿈을 이룰 수 있을 것이다.

 낱말 풀이 ❶ 글라이더 엔진 없이 바람만을 이용하여 나는, 날개가 없는 비행기. ❷ 자유자재 거침없이 자기 마음대로 할 수 있음.

1
주제찾기

글을 쓴 가장 중요한 목적은 무엇입니까? ──────────── ( )

① 하늘을 끝없이 날고 싶어서
② 하늘을 나는 데 도움이 되고 싶어서
③ 하늘을 날았던 고대 신화를 알고 싶어서
④ 하늘을 날 수 있는 방법을 연구하고 싶어서
⑤ 하늘을 나는 꿈이 실현된 과정을 알리고 싶어서

2
제목찾기

제목으로 알맞은 구절이 글에 나옵니다. 찾아서 쓰세요.

하늘을 ☐ ☐ ☐

3
사실이해

글의 내용과 <u>어긋난</u> 것은 어느 것입니까? ──────────── ( )

① 이카로스의 시도는 실패했다.
② 다빈치는 하늘 높이 날 수 있었다.
③ 글라이더는 바람의 힘을 이용한 기계이다.
④ 열기구와 비행선은 비행하는 속도가 느렸다.
⑤ 세계 대전이 비행기의 성능 발전을 촉진하였다.

4 라이트 형제의 시도를 최초의 성공으로 인정하는 까닭은 무엇입니까? ──────── (　　)

미루어알기

① 날개의 부착　　　　　　　　　② 설계한 기계로 제작

③ 바람의 힘을 이용　　　　　　　④ 더운 공기를 이용

⑤ 유인 동력 비행

5 글의 내용으로 미루어보아 ㉠의 뜻으로 알맞은 것을 고르세요. ──────── (　　)

세부내용

① 왼쪽으로 미는 힘　　　　　　　② 오른쪽으로 미는 힘

③ 위로 끌어올리는 힘　　　　　　④ 아래로 끌어내리는 힘

⑤ 좌우상하로 움직이게 하는 힘

6 둘째 문단의 내용을 바탕으로 하여 '하늘을 나는 꿈'을 실현하기 위한 조건을 한 문장

적용하기 으로 써보았습니다. 빈칸에 알맞은 낱말을 쓰세요.

⇨ ① ☐☐☐☐ 날 수 있고 ② ☐☐ 가 빠르며, 자유자

재로 방향을 바꿀 수 있을 뿐만 아니라 ③ ☐☐ 하지 않아야 한다.

7 글의 흐름과 구조에 따라 전체 내용을 표로 정리했습니다. 빈칸을 채워 완성하세요.

요약하기

하늘을 나는 꿈

과거 (1문단, 2문단)	③ ☐☐ (3문단, 4문단)	현재, 미래 (5문단)
하늘을 날기 위한 다양한 ① ☐☐ 과 ② ☐☐	라이트 형제의 ④ ☐☐ 과 비행기 의 발전	하늘을 나는 꿈의 실현과 더욱 발전된 미래의 모습

어휘학습

뜻 낱말의 뜻풀이로 알맞은 것을 보기 에서 골라 괄호 안에 기호를 쓰세요.

(1) 날다 (　　　)

(2) 살다 (　　　)

(3) 알다 (　　　)

보기
㉠ 사물이나 상황에 대한 정보나 지식을 갖추다.
㉡ 공중에 떠서 어떤 위치에서 다른 위치로 움직이다.
㉢ 생명을 지니고 있다. 어느 곳에 거주하다.

해설편 06쪽

다지기 아래 문장의 빈칸에 알맞은 낱말을 보기 에서 찾아 알맞게 고쳐 쓰세요.

보기
살다　　날다　　알다

(1) 우리 마을에서 멀리 떨어진 곳에 [　][　] 친척이 찾아왔다.

(2) 공중에 [　][　] 새를 활을 쏘아 맞히기는 대단히 어렵다.

(3) 세상일을 두루두루 [　][　] 사람을 만나기는 쉽지 않다.

넓히기 다음 한자어의 구성과 뜻을 알아보고, 빈칸에 알맞은 한자어를 쓰세요.

- **비행(飛** 오를 비. **行** 다닐 행.**)** 공중으로 날아가거나 날아다님.
- **설계(設** 세울 설. **計** 헤아릴 계.**)** 계획을 세움. 또는 그 계획.
- **도전(挑** 돋울 도. **戰** 싸움 전.**)** 정면으로 맞서 싸움을 걺.

(1) 세상을 굳세게 살기 위해서 어려운 일에 [　][　]을 서슴지 않다.

(2) 오랜 시간의 [　][　]에 지쳐 기운이 없었다.

(3) 건물이 잘 지어지기 위해서는 [　][　]가 잘 되어야 한다.

시간 공부 날짜 [　]월 [　]일

푸는데 걸린 시간 [　]분

확인 맞은 개수 써보기

| 독해 | [　]개/7개 | 어휘 | [　]개/9개 |

12

'맏딸은 맏딸다워야 한다', '남자는 남자다워야 한다' 따위의 생각은 성차별때문에 생긴 콤플렉스입니다. '열등 콤플렉스'란 '내가 남보다 못난 것은 아닐까, 나는 다른 사람보다 못났어'라고 생각하는 열등감에서 생기는 콤플렉스를 뜻해요.

점수 계산 1. 15점 2. 15점 3. 10점 4. 15점 5. 15점 6. 15점 7. 15점

성차별[1]이란 사람을 대할 때 성별에 따라 차등을 두어 대우하는 것을 뜻합니다. 성차별은 남성과 여성이라는 성이 다르다는 이유로 같은 사회적 상황에서 서로 다른 대우를 하는 것을 뜻하는데, 이런 차별이 존재하는 사회에서

차별받는 쪽은 대개 여성입니다. 특히 집안에서 아버지가 중심이 되는 문화가 남아 있는 전통 사회의 특성이 강한 우리 사회에서는 더욱 차별이 심한 편입니다. 이러한 차별이 오랫동안 계속되어 오다 보니, 우리 사회에서는 여성도 남성도 자신이 속해 있는 성 때문에, 곧 강박 관념을 갖게 되었습니다.

예부터 우리 사회에서는 맏딸은 맏이면서 딸이라는 이유로, 아들인 장남만큼 대우를 받지 못한 채, 동생들을 위하여 희생하고 봉사하는 생활을 해 왔습니다. 맏이니까 동생들에게 모범을 보여야 하고, 책임감도 강해야 하며, 양보도 해야 하고, 맏딸로서 의무감도 가져야 한다고 생각해 왔습니다. 이렇듯 맏딸이 그 기대에 부응하려고 하는 것을 맏딸 콤플렉스[2]라고 합니다.

착한 여자 콤플렉스는, '여자는 여자답게', '착한 여자'로 살아야 한다는 고정 관념에 얽매여 다른 사람의 눈에 비치는 자신을 먼저 떠올려 보아야 하는 태도를 지녀야 한다는 뜻이에요. 심지어 자신에게 숨어있는 힘을 숨기면서까지 주변 사람들로부터 칭찬을 받으려 하는 모습을 보이기도 합니다.

㉠슈퍼맨 콤플렉스는 '남자는 남자다워야 한다.'는 것을 강조하며 '남자다움을 자랑 삼아 보여 주려면 모든 능력을 갖추어야 한다고 생각하는 것을 말합니다. 이러한 생각이 남자는 모든 것을 잘 해야 한다는 강박 관념을 갖게 하여 어떤 일을 잘 해내지 못했을 때 큰 좌절감을 느끼며 고통스러워하도록 하는 원인이기도 합니다.

남자와 여자는 자연적이고 신체적인 차이를 뜻할 뿐입니다. '남자이니까. 여자이니까' 이런 생각을 하는 것부터가 성차별의 시작입니다. 우리 모두의 생각이 성 역할에 대한 고정 관념에서 벗어날 때 이러한 콤플렉스들이 사라지게 되겠죠? 사람에 따라 남자도 조용하고 얌전할 수 있고, 여자도 씩씩하고 활발할 수 있다는 것을 기억하세요.

 낱말풀이 ❶ 성차별 남성이나 여성이라는 이유만으로 받는 차별. ❷ 콤플렉스 현실적인 행동이나 지각에 영향을 미치는 무의식의 감정적 관념.

1 주제찾기

글의 주제문을 작성하기 위해 들어가야 할 말이 <u>아닌</u> 것은 무엇입니까? ―――― ( )

① 성 역할
② 고정관념
③ 강박관념
④ 시대적 배경
⑤ 성적인 차별

2 제목찾기

글에 나온 말로 빈칸을 채워 알맞은 제목을 붙이세요.

성차별에서 비롯된				

3 사실이해

글에서 다루지 <u>않은</u> 내용은 어느 것입니까? ―――――――――――――― ( )

① 남성, 여성을 차별하여 대우하는 것을 성차별이라 한다.
② 전통 사회에서는 여성에 대한 차별이 심한 편이었다.
③ 맏딸은 맏이여서 장남만큼 대우를 받을 수 있었다.
④ 남자도 성적 콤플렉스에 사로잡힐 수 있다.
⑤ 남자와 여자는 신체적 차이를 가리킨다.

4
미루어알기

우리 사회에 성차별이 심하게 남아 있는 이유로 볼 수 있는 것은 무엇입니까?

(   )

① 중국 문물을 받아들여서   ② 여성이 순종하는 기질이어서

③ 남성의 책임감과 의무감이 강해서   ④ 여성이 숨어있는 힘을 드러내지 않아서

⑤ 집안의 삶이 아버지 중심으로 이루어져 와서

5
세부내용

아래 (1), (2)에서 설명하는 말을 보기 에서 찾아 쓰세요.

> 보기
>
> 맏딸 콤플렉스   슈퍼맨 콤플렉스   착한여자 콤플렉스   피터팬 콤플렉스

(1) 여자는 여자다워야 한다. → (   )

(2) 남자는 남자다워야 한다. → (   )

6
적용하기

㉠의 예를 아래에 들어 보았습니다. 빈칸에 알맞은 낱말을 글에서 찾아 쓰세요.

> 태호는 남의 말을 잘 듣는 아이입니다. 동네 형이, '대장부인 너라면 마을 앞의 농다리를 단숨에 뛰어 건널 수 있을 거야.'라고 부추겼습니다. 태호는 ① ☐☐ 이 될까를 따지지도 않고 다리를 뛰어 건너려다 물에 빠져서 허우적거리다가 집으로 와서 ② ☐☐☐ 에 빠져 울기만 했습니다.

7
요약하기

글의 주요 내용을 간추려보았습니다. 빈칸에 알맞은 말을 쓰세요.

> '맏딸 콤플렉스'는 맏이이고 딸이기 때문에 가족을 위해 ① ☐☐ 하고 봉사해야 한다는 생각에 사로잡히는 것을 뜻합니다. '착한 여자 콤플렉스'는 남에게 자신이 착한 여자로 비쳐야 한다는 생각 때문에 자신에게 갖추어져 있는 ② ☐ 마저 숨기고 여자다운 모습으로 칭찬을 받으려 하는 것을 뜻합니다.

어휘학습

뜻 낱말의 뜻풀이로 알맞은 것을 보기 에서 골라 괄호 안에 기호를 쓰세요.

(1) 착하다 (　　　)

(2) 못되다 (　　　)

보기
ㄱ 성질이나 품행 따위가 좋지 않거나 고약하다. 일이 뜻대로 되지 않은 상태에 있다.

ㄴ 언행이나 마음씨가 곱고 바르며 상냥하다.

해설편 06쪽

다지기 아래 문장의 빈칸에 보기 의 말을 활용하여 알맞게 고쳐 쓰세요.

보기
못되다　　착하다

(1) 세상에는 착한 사람과 [　][　] 사람이 섞여 있다.

(2) 언뜻보면 [　][　] 아이처럼 보이지만, 사실 그 애는 행실이 좋지 못하다.

(3) 일이 [　][　] 게 남의 탓이 아니라 내 탓이다.

넓히기 다음 한자어의 구성과 뜻을 알아보고, 빈칸에 알맞은 한자어를 쓰세요.

• **잠재력(潛** 잠길 잠. **在** 있을 재. **力** 힘 력.) 겉으로 드러나지 않고 속에 숨어 있는 힘.

• **좌절감(挫** 꺾을 좌. **折** 꺾을 절. **感** 느낄 감.) 계획이나 의지 따위가 꺾여 자신감을 잃은 느낌이나 기분.

(1) 그는 게임에서 이길 수 없다는 걸 알고 깊은 [　][　][　]에 빠졌다.

(2) 누구나 자신의 [　][　][　]을 찾아내어 창의성을 개발하려고 한다.

시간 공부 날짜 [　] 월 [　] 일

푸는데 걸린 시간 [　] 분

확인 맞은 개수 써보기

독해	[　] 개 / 7개	어휘	[　] 개 / 7개

13

용수철은 밖에서 가해진 힘에 의해 늘어나거나 줄어들었다가 그런 힘이 없어지면 다시 원래대로 돌아오는 탄성이 강한 쇠붙이에요. 용수철의 재료는 주로 적당하게 열처리한 강철이에요. 모양에 따라, 우리가 가장 흔히 사용하는 나사 모양 용수철, 자동차에서 볼 수 있는 겹판 용수철, 시계 테입으로 사용하는 띠 모양 용수철, 접시형 용수철 등으로 나눌 수 있어요.

 1. 15점 2. 10점 3. 15점 4. 15점 5. 15점 6. 15점 7. 15점

용수철은 힘을 받아 모양이 변하면 원래대로 다시 되돌아가려는 성질을 가지고 있어요. 이러한 성질을 탄성력이라고 하는데, 예전부터 사람들은 용수철의 탄성력을 생활에 이용해 왔어요. 우리 주변에 용수철을 이용하는 것은 어떤 것이 있는지 알아볼까요?

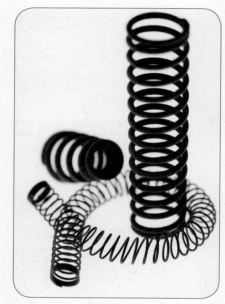

기차, 자전거, 자동차, 침대 등에 용수철이 있어요. 여기에 쓰이는 용수철은 강한 충격으로부터 사람이나 물체를 보호해 주는 역할을 해요. 차가 심하게 흔들리거나 작은 뒤척임에도 침대가 흔들린다면 불편하겠죠. 이러한 크고 작은 충격을 용수철이 (㉠) 우리가 편안함을 느끼게 해 주는 거예요.

용수철은 볼펜, 펀치, 스테이플러 등에도 사용된답니다. 볼펜 안에도 작은 용수철이 들어 있어서 볼펜을 누르면 용수철이 줄어들면서 볼펜 심이 밖으로 쏘옥 나와요. 펀치도 손으로 누르는 힘으로 칼날이 내려오면서 종이를 눌러 구멍을 뚫어 주어요. 스테이플러 안을 보면 심을 밀어주는 용수철이 들어 있어서 이 힘으로 심이 밖으로 나오고 용수철은 다시 원래 모양으로 되돌아가요.

여러 가지 운동 기구에도 있어요. 완력기로 운동해 본 적 있나요? 트램펄린 위에서 뛰어 본 적은 있나요? 완력기는 용수철을 잡아당겨 늘리면서 팔 운동을 하는 운동 기구예요. 트램펄린도 위에 올라가 뛰면 (㉡) 때문에 용수철이 늘어났다가 줄어드는 원리를 이용한 놀이기구예요.

1

주제찾기

글에서 중심 내용으로 삼은 것은 무엇입니까? ────────── (   )

① 용수철의 힘

② 용수철의 성질

③ 용수철과 운반 수단

④ 용수철의 여러 가지 쓰임

⑤ 용수철이 줄어드는 원리

2

글감찾기

글에서 설명하고 있는 물건의 이름을 쓰세요.

(   )

3

사실이해

글에서 주로 다룬 내용으로 알맞은 것은 어느 것입니까? ────── (   )

① 완력기는 용수철을 눌러서 운동하게 한다.

② 용수철은 힘의 원리를 알게 하는 물건이다.

③ 자동차, 침대에 누워서 편안함을 느낄 수 있다.

④ 우리 주변에 용수철을 이용한 도구가 많이 있다.

⑤ 사람이나 물건을 보호하기 위해 기술을 발전시킨다.

4

미루어알기

글쓴이가 중심 내용을 펼쳐 나가기 위해, 글의 첫머리에서 그 뜻을 먼저 소개한 낱말을 찾아 쓰세요.

(   )

⊙, ⊙에 들어갈 말을 순서대로 늘어놓은 것은 어느 것입니까? ⋯⋯⋯⋯⋯⋯ (　)

① 흡수하여, 몸무게
② 밀어내어, 반발력
③ 뿜어내어, 순발력
④ 발산하여, 뛰는 힘
⑤ 늘어뜨려서, 쥐는 힘

글에서 설명한 용수철의 '탄성력'을 가장 잘 살려 쓴 것은 어느 것인가요? ⋯ (　)

① 기차의 승강구 만들기
② 자전거의 페달 돌리기
③ 자동차 충격 흡수하기
④ 침대의 길이 조정하기
⑤ 볼펜의 육각형 만들기

글에서 자세히 설명한 내용을 아래의 표로 정리했습니다. 빈칸을 채우세요.

사용한 도구	작동의 원리
기차, 자전거, 자동차, 침대	① ☐☐ 의 흡수
② ☐☐ , 펀치, 스테이플러	누르는 힘
완력기, 트램펄린	③ ☐☐☐ 힘

어휘학습

뜻 빈칸에 알맞은 것을 보기 에서 찾아 쓰세요.

> 보기
> 줄어들다   내려오다

(1) 부피나 분량 따위가 본디보다 작아지거나 짧아지거나 적어지다. '줄다'와 '들다'가 합쳐져서 새말인 '[ ][ ][ ][ ]'가 만들어짐.

(2) 높은 곳에서 낮은 곳으로 또는 위에서 아래로 오다. '내리다'와 '오다'가 합쳐져서 새말인 '[ ][ ][ ][ ]'가 만들어짐.

다지기 아래 문장의 빈칸에 알맞은 낱말을 보기 에서 찾아 쓰세요.

> 보기
> 내려오면서   줄어들면

(1) 펀치는 손으로 누르는 힘으로 칼날이 [ ][ ][ ][ ][ ] 종이에 구멍을 뚫는다.

(2) 가뭄으로 저수지의 물이 [ ][ ][ ][ ] 논에 물을 대기도 쉽지가 않다.

넓히기 다음 한자어의 구성과 뜻을 알아보고, 빈칸에 알맞은 한자어를 쓰세요.

> • **탄성력**(彈 탄알 탄. 性 성질 성. 力 힘 력.) 물체의 변형으로 생기는 힘. 늘어나거나 줄어든 길이나 부피에 비례한다.
> • **복원력**(復 회복할 복. 元 으뜸 원. 力 힘 력.) 물체가 변형되었을 때, 그 물체를 본디의 상태로 되돌리려고 하는 힘.

(1) 뭉쳐놓은 스펀지가 [ ][ ][ ]에 의해 다시 펴졌다.

(2) 강철이 특히 용수철의 재료가 되는 이유는 [ ][ ][ ]이 강하기 때문이다.

시간 공부 날짜 [ ] 월 [ ] 일
푸는데 걸린 시간 [ ] 분

확인 맞은 개수 써보기

독해	[ ] 개 / 7개	어휘	[ ] 개 / 6개

14

 이야기를 읽으면서 가장 먼저 알아내어야 할 것은 다툼이에요. 다툼이 있다면 누구와 누구의 다툼인지부터 알아내어야 해요. 또 무엇 때문에 다투는지도 알아내어야 해요. 생각이 달라서라고 했는데 생각이 어떻게 서로 다른지도 알아내어야 해요.

점수계산 1. 15점 2. 10점 3. 15점 4. 15점 5. 15점 6. 15점 7. 15점

수업이 끝나고 교문을 나섰다. 그런데 횡단보도 앞에서 준혁이가 서 있었다.

"양준혁." / 준혁이가 돌아보았다. / "어디 가냐?" / "영어 학원……."

준혁이의 목소리는 힘이 없고, 눈빛도 흐릿하였다. 내가 돌아서서 가려고 하자 준혁이가 나를 불렀다.

"김상보." / 뜸을 들이던 준혁이가 말을 꺼냈다.

"음, 김상보, 저기 말이야……. 그 지우개…… 그 지우개 말이야." / "그 지우개라니?"

"아까 네가 딴 지우개…… 맘모스 지우개, 다시 주면…… ㉠안 돼?" / ㉡"안 돼!"

나는 뒤통수를 한 대 맞은 기분이었다. 아직 아빠께 보여 주지 못하였다. 그리고 그건 내가 딴 지우개다. 무엇보다 난 그 맘모스 지우개가 마음에 쏙 든다. 그렇게 커다란 지우개는 이 세상에 단 하나밖에 없을 것이다. 그런 지우개를 가지고 있는 나를 보면 아이들이 얼마나 부러워할까? 난 정말 돌려주고 싶지 않다.

"그거 말이야. 건축 설계 공부하는 삼촌 거야. ㉢삼촌이 이탈리아에서 공부하는 여자 친구한테 선물 받은 거야. 삼촌이 여행 간 동안 내가 몰래 갖고 다닌 거야. 삼촌 오늘 온대. 삼촌이 오기 전에 꼭 갖다 놔야 해. 안 그러면 난 곤란해."

당당하고 자신감에 차 있던 준혁이가 고개를 떨어뜨렸다. 순간 마음이 흔들렸다.

'싫어, 싫어!' / 그런데 준혁이는 간절히 말하였다. / "돌려주면 안 돼?"

나도 풀 죽은 목소리로 대답하였다. / "그건 내 거야. 내가 딴 거야."

준혁이는 돌아섰다. 한 발짝 떼는 걸음이 어찌나 무거워 보이는지 발목에 쇠고랑을 찬 것 같았다. 난 그런 준혁이의 뒷모습을 보고 싶지 않아서 집으로 뛰어갔다. 하지만 마음이 무겁고 답답하였다.

나는 벌떡 일어나 맘모스 지우개를 가지고 준혁이 집으로 뛰어갔다. 준혁이가 대문 앞 계단에 앉아 있었다.

"양준혁." / 준혁이는 나를 보더니 놀라서 자리에서 일어났다.

"김상보, 어쩐 일이야?" / 나는 맘모스 지우개를 준혁이에게 건네주었다.

"이건 너무 커서 내 지우개 상자에 들어가지 않아. 그리고……."

나는 더 말을 잇지 못하였다. 준혁이가 물었다.

"그리고 뭐?" / 나는 들릴락 말락 하게 말하였다.

"지우개 따먹기 법칙 10을 지키려고……. 지우개 따먹기 법칙 10, 지우개 따먹기를 할 때 상대는 내 친구이다. 지우개 따먹기를 하면서 친구와 싸우지 말 것. 친구와 싸우게 된다면 '지우개 대장'이라는 명예로운 이름은 더럽혀지게 된다."

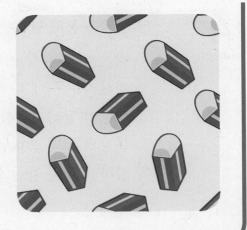

1 주제찾기

중심 내용으로 알맞은 것은 어느 것입니까? ──────────────── (   )

① 양준혁이 기가 죽은 까닭
② 김상보가 지우개를 따게 된 힘
③ 양준혁이 삼촌의 지우개에 보인 관심
④ 김상보가 복잡한 마음을 정리해 간 과정
⑤ 양준혁이 김상보와 다툼을 그만두고 화해를 함

2 글감찾기

사건을 일으킨 원인이 된 물건을 글에서 찾아 쓰세요.

(   )

3 사실이해

다음 중, 가장 <u>먼저</u> 일어난 사건은 어느 것입니까? ──────── (   )

① 두 사람이 횡단보도 앞에서 만났다.
② 한 사람이 횡단보도 앞에 서 있었다.
③ 한 사람이 친구의 요청을 거절했다.
④ 두 사람이 지우개 따먹기 놀이를 했다.
⑤ 지우개를 돌려주기 위해 친구의 집으로 갔다.

해설편 07쪽

4
미루어알기

㉠과 ㉡을 통해 알 수 있는 사실은 무엇입니까? ─────────────── ( )

① 같은 생각은 한 가지 문장으로만 나타낸다.

② 전하려는 뜻에 따라 문장의 끝맺음이 달라진다.

③ 상황이 달라지더라도 문장의 끝맺음은 달라지지 않는다.

④ 문장의 끝맺음이 달라져도 말하는 이의 뜻은 달라지지 않는다.

⑤ 말하는 이와 듣는 이의 관계에 따라 문장의 끝맺음이 달라질 수 있다.

5
세부내용

㉢의 두 문장은 그 종류가 무엇입니까? ─────────────── ( )

① 설명하는 문장   ② 느낌을 표현하는 문장

③ 무엇인가를 묻는 문장   ④ 무엇을 하도록 시키는 문장

⑤ 함께 하기를 요청하는 문장

6
적용하기

㉠, ㉡을 보고, 표의 빈칸에 알맞은 말을 쓰세요.

	대화의 상황	전하려는 뜻
㉠	양준혁 : 삼촌 지우개인데, 원래 자리에 돌려놓지 않으면 혼이 날 거야. 제발, 지우개 돌려 줘.	간절하게 소망하면서, 돌려주기를 ① ☐☐ 함.
㉡	김상보 : 아빠에게 자랑하고 싶었는데, 그런데도 지우개 돌려 줘?	상대방의 뜻을 모른척하면서, 단호하게 ② ☐☐ 함

7
요약하기

줄거리를 아래와 같이 요약했습니다. 빈칸을 채우세요.

김상보는 지우개 따먹기 대장이다. 같은 반의 양준혁은 상보를 이겨 보고 싶어서 삼촌의 맘모스 지우개를 가져왔지만 지우개 따먹기에서 져서 지우개를 상보에게 넘긴다. 상보는 아빠에게 자랑하고 싶었지만, 준혁의 딱한 사정을 듣고 지우개를 돌려줌으로써 마음의 ☐☐ 에서 벗어난다.

어휘학습

해설편 07쪽

뜻

낱말의 뜻풀이로 알맞은 것을 [보기]에서 골라 괄호 안에 기호를 쓰세요.

(1) 지우개 (　　　)

(2) 똥싸개 (　　　)

[보기]
⊙ 똥을 가리지 못하는 아이. '-개'는 '그러한 행위를 특성으로 지닌 사람'의 뜻을 더하는 말
ⓒ 글씨나 그림 따위를 지우는 물건. '-개'는 '그러한 행위를 하는 간단한 도구'의 뜻을 더하는 말.

다지기

다음 설명에 맞추어 알맞은 낱말을 새로 떠올려 쓰세요.

(1) '그러한 행위를 하는 간단한 도구'이라는 뜻을 더하는 '-개'를 붙여 만든 말. '발을 감싸는 도구'라는 뜻.　　　　　　(　　　　　　)

(2) '그러한 행위를 특성으로 지닌 사람'의 뜻을 더하는 '-개'를 붙여 만든 말. 늘 코를 줄줄 흘리고 다니는 사람'이라는 뜻.　　　　　(　　　　　　)

넓히기

다음 한자어의 구성과 뜻을 알아보고, 빈칸에 알맞은 한자어를 쓰세요.

- **갈등(葛** 칡 갈. **藤** 등나무 등.) ① 칡과 등나무가 서로 얽히는 것과 같이, 개인이나 집단 사이에 목표나 이해관계가 달라 서로 적대시하거나 충돌함. 또는 그런 상태. ② 두 가지 이상의 상반되는 요구나 욕구, 기회 또는 목표에 직면하였을 때, 선택하지 못하고 괴로워함. 또는 그런 상태.
- **해소(解** 풀 해. **消** 사라질 소.) 어려운 일이나 문제가 되는 상태를 해결하여 없애 버림.

(1) 상보는 지우개가 준혁에게 소중한 물건이어서 되돌려주고 싶었지만, 모처럼 얻은 귀한 물건을 포기하지 못하여 돌려주지 못한 채 마음속으로 심하게 ☐☐을 겪고 있었다.

(2) 상보가 마침내 지우개를 준혁에게 돌려줌으로써 무겁고 답답한 마음을 ☐☐할 수 있었다.

시간

공부 날짜 ☐ 월 ☐ 일

푸는데 걸린 시간 ☐ 분

확인

맞은 개수 써보기

독해	☐ 개 / 7개	어휘	☐ 개 / 6개

15

 다음 시는 우선 모양부터 살펴봐요. 1연 3행, 2연 4행, 3연 1행, 그리고 4연 3행, 5연 4행, 6연 1행. 이런 모양도 반복이라고 부른다고 했죠? 번갈아가면서 같은 행의 수가 반복되고 있어요. 시에서는 안방을 '응급실'로, '편의점'으로 빗대었어요.

점수
계산   1. 15점   2. 10점   3. 15점   4. 15점   5. 15점   6. 15점   7. 15점

자다가도 아프면
쪼르르 달려가는
응급실

약 챙겨 주고
이마에 물수건 올려 주고
밤새 따뜻한 불 환히 켜 놓는
안방 응급실

치료비 공짜

친구에게 따돌려 슬플 때
터덜터덜 찾아가는
편의점

호빵처럼 따끈한 손길
아이스크림처럼 달콤한 목소리
가득가득 차려져 있는
안방 편의점

무조건 공짜

1 무엇 때문에 쓴 시라고 할 수 있습니까? ──────────── ( )

주제찾기

① 간호사에게 은혜를 갚기 위해서

② 응급실에 대한 기억을 되새기기 위해서

③ 친구에게 따돌림 당한 슬픔을 떨치기 위해서

④ 불행한 처지에 놓인 친구를 위로하기 위해서

⑤ 아낌없이 주는 어머니의 사랑에 감사하기 위해서

2 '엄마'를 비유한 장소 둘을 시에서 찾아 쓰세요.

글감찾기

( )

3 소리의 규칙적인 질서를 자아내도록 하기 위해 시에 어떤 장치를 하였습니까?

사실이해 ──────────── ( )

① 모든 행의 글자 수를 똑같도록 했다.

② 행이 진행될수록 글자 수가 많아지도록 했다.

③ 글자 수가 같은 소리마디를 네 묶음씩 놓았다.

④ 발음하는 시간이 같은 소리마디를 두 묶음씩 놓았다.

⑤ 짜임새가 비슷한 어구가 간격을 두고 반복되도록 하였다.

4 시에서 말하는 사람이 겪은 일로 볼 수 <u>없는</u> 것은 어느 것입니까? ──────── ( )

미루어알기

① 자다가 아픈 적이 있었다.

② 응급실로 달려간 적이 있었다.

③ 밤새 불 밝히고 간호를 받은 일이 있었다.

④ 친구를 따돌리고 마음이 울적한 적이 있었다.

⑤ 따스한 손길, 달콤한 목소리에 가슴 벅찬 적이 있었다.

5 **세부내용** 각 연의 끝은 모두 어떤 품사로 끝나 있습니까? ───────────── (   )

① 명사

② 동사

③ 형용사

④ 부사

⑤ 감탄사

6 **적용하기** 아래의 시는 위의 시를 바꾸어 쓴 것입니다.

(1) 어떤 인물을 떠올리며 바꾸어 쓴 시입니까?

(   )

(2) 또 그 인물을 빗대어 표현한 것을 아래의 시에서 찾아 쓰세요.

(   )

장난감이 고장 나면 쪼르르 달려가는 만물상 나사로 조이고 고무줄로 동여매 주고 언제나 뚝딱뚝딱 고쳐 주시는 안방 만물상 **수리비 공짜**	친구랑 다투고 슬플 때 터덜터덜 찾아가는 휴게실 나무 그늘처럼 시원한 손길 식혜처럼 달콤한 목소리 가득가득 차려져 있는 안방 휴게실 **무조건 공짜**

🕮 어휘학습

뜻 낱말의 뜻풀이로 알맞은 것을 보기 에서 골라 괄호 안에 기호를 쓰세요.

(1) 아프다 (   )

(2) 고프다 (   )

보기
㉠ 배 속이 비어 음식을 먹고 싶다.
㉡ 몸이 병이 나거나 들어 앓는 상태에 있다. 슬픔이나 불쌍함, 쓰라림 따위가 있어 괴로운 상태에 있다.

다지기 아래 문장의 빈칸에 알맞은 낱말을 보기 에서 찾아 쓰세요.

보기
아프다   고프다

(1) 운동을 하다가 다친 자리가 ☐☐☐ .

(2) 사흘을 굶었더니 배가 몹시 ☐☐☐ .

(3) 친한 친구와 헤어지고 슬퍼서 마음이 ☐☐☐ .

넓히기 다음 한자어의 구성과 뜻을 알아보고, 빈칸에 알맞은 한자어를 쓰세요.

- **응급실(應** 응할 응. **急** 급할 급. **室** 집 실.**)** 병원 같은 데서 환자의 응급 치료를 할 수 있는 시설을 갖추어 놓은 방.
- **편의점(便** 편할 편. **宜** 알맞을 의. **店** 가게 점.**)** 손님의 편리한 생활을 위하여 24시간 문을 여는 작은 규모의 가게.

(1) 밥을 제때 먹지 못하여 ☐☐☐ 에 들러 즉석식품 몇 가지를 샀다.

(2) 큰 병원에는 ☐☐☐ 을 마련해 두고 위급한 환자를 맞이한다.

시간 공부 날짜 ☐ 월 ☐ 일

푸는데 걸린 시간 ☐ 분

확인 맞은 개수 써보기

| 독해 | ☐ 개/7개 | 어휘 | ☐ 개/7개 |

어휘·어법 총정리

어휘 보기의 낱말을 보고, 뜻과 어울리는 것을 골라 아래의 빈칸에 써보세요.

> **보기** 해소   자유자재   응급실   좌절감   설계   갈등   고프다

1. 칡과 등나무가 서로 얽힌 것 같이 서로 이해관계가 달라 적대시하거나 충돌함.

2. 계획이나 의지 따위가 꺾여 자신감을 잃은 느낌이나 기분.

3. 어려운 일이나 문제가 되는 상태를 해결해 없애 버림.

4. 거침없이 자기 마음대로 할 수 있음.

5. 배 속이 비어 음식을 먹고 싶다.

6. 병원 같은 데서 환자의 응급 처치를 할 수 있는 시설을 갖추어 놓은 방.

7. 계획을 세움. 또는 그 계획.

어법 다음 중 맞춤법에 맞는 것을 골라 동그라미 하세요.

1. [못된 / 못됀] 성격.

2. 용수철의 [탄성력 / 탄석력].

3. [지우개 / 지우게]로 잘 지워 봐.

4. 한 발짝 [떼는 / 때는]게 어렵다.

5. [쇠골앙 / 쇠고랑]을 찬 것 같다.

6. 집 앞 [계단 / 게단]에 뭔가가 있다.

7. [편의점 / 펴늬점]이 멀어 불편하다.

8. [밤새 / 밤세] 시끄러워 못잤다.

9. [슈퍼맨 콤플렉스 / 슈퍼맨 컴플렉스]

10. [고정 관념 / 고전 관념]에서 벗어나라.

확인 나의 점수 확인하기

어휘	개 /	7개	어법	개 /	10개

4주차

회차 / 영역	제목	계획 및 점검
16 인문|논설문	**많이 웃자** • 나는 ☐월 ☐일 ☐시에 공부할 것입니다.	• 독해력에서 나의 점수는 ☐ 점입니다. • 어휘력에서 맞은 문제수는 ☐개 / 9개 입니다. • 어려웠던 문제는 _____ 번입니다.
17 사회|논설문	**자유가 뭐예요?** • 나는 ☐월 ☐일 ☐시에 공부할 것입니다.	• 독해력에서 나의 점수는 ☐ 점입니다. • 어휘력에서 맞은 문제수는 ☐개 / 8개 입니다. • 어려웠던 문제는 _____ 번입니다.
18 과학|설명문	**백두산의 화산 활동** • 나는 ☐월 ☐일 ☐시에 공부할 것입니다.	• 독해력에서 나의 점수는 ☐ 점입니다. • 어휘력에서 맞은 문제수는 ☐개 / 6개 입니다. • 어려웠던 문제는 _____ 번입니다.
19 산문문학|이야기	**행복한 비밀 하나** • 나는 ☐월 ☐일 ☐시에 공부할 것입니다.	• 독해력에서 나의 점수는 ☐ 점입니다. • 어휘력에서 맞은 문제수는 ☐개 / 7개 입니다. • 어려웠던 문제는 _____ 번입니다.
20 운문문학|시	**거인들이 사는 나라** • 나는 ☐월 ☐일 ☐시에 공부할 것입니다.	• 독해력에서 나의 점수는 ☐ 점입니다. • 어휘력에서 맞은 문제수는 ☐개 / 7개 입니다. • 어려웠던 문제는 _____ 번입니다.

• 이번 주 독해력 문제에서 나의 점수는 평균 ☐ 점입니다.

• 이번 주 어휘력에서 맞은 문제수는 모두 ☐ 개입니다.

웃음은 어떤 병이라도 고칠 수 있도록 해 준다고 해요. 웃음은 또 사람과 사람 사이를 자연스럽게 이어 준다고 해요. 웃으면 오래 살 수 있도록 해 준다고는 해요. 웃음의 좋은 점을 대강 들어 보아도 이렇게나 많아요.

 1. 15점 2. 15점 3. 10점 4. 15점 5. 15점 6. 15점 7. 15점

웃음의 하루 권장량은 아주 큰 소리로 1회에 10초 이상, 하루에 10회 이상이다. 웃음 권장량을 채우는 사람은 몇 명이나 될까? 어렸을 때는 하루에 평균 400번을 웃지만, 다 자란 뒤에는 하루에 평균 8번밖에 웃지 않는다고 한다. 웃음이 설 자리를 잃은 것은 답답한 현실과 무거운 일상 때문이다. 그러나 삶이 무거울수록 웃음이 필요하다. 웃음에는 답답한 현실의 무게를 덜어주고, 삶에 탄력❶을 불어넣는 마법과 같은 힘이 담겨 있다. 이제는 삶의 뒷전으로 내몰았던 웃음을 되찾아야 한다.

웃음은 여러 가지 면에서 도움을 준다. 첫째, 웃음은 우리를 건강하게 해 준다. 웃음은 혈압을 낮추고 혈액 순환에도 도움을 주어 면역 체계와 소화 기관을 진정시킨다. 또, 산소 공급을 두 배로 증가시켜 몸이 일시에 시원해지는 기분을 느끼게 해 준다. 웃을 때 분비되는 호르몬은 육체적 피로와 통증을 잊게 해 주고, 여러 가지 ⊙스트레스를 이겨 낼 수 있게 해 준다. 웃음은 그 어떤 약보다 뛰어난 효과를 가지고 있고, 돈을 들이지 않고도 얻을 수 있는 신비한 약이다.

둘째, 웃음은 아름다운 얼굴을 만드는 최고의 화장품이기도 하다. 웃는 얼굴처럼 아름다운 모습은 없다. 아무리 조각 같은 미모를 가지고 있고 멋진 화장술로 치장❷을 한다고 해도, 웃을 줄 모르는 사람은 표정이 없는 인형보다 나을 것이 없다. 마음을 화장하는 웃음은 그 어떤 화장품보다 눈부신 매력과 화사한 생기❸를 얼굴에 불어넣는다.

셋째, 사람과 사람의 마음을 이어 주는 데에도 웃음이 큰 역할을 한다. 웃음은 처음 만난 사람에게 마음의 문을 열게 하고, 인간관계의 윤활유가 된다. 실제로 사람들은 혼자 있을 때보다 다른 사람들과 함께 있을 때 더 많이 웃는다. 웃음이 가득한 밝은 얼굴은 자석처럼 사람을 끌어당기고 호감을 주어 사회적인 성공을 낳는 밑거름이 되기도 한다.

넷째, 웃음은 회사나 학교생활에도 긍정적인 역할을 한다. 연구 결과에 따르면 회

사 내에서 웃음은 사기를 높여 주고, 화합하게 하고, 창의력을 유발하여 생산성을 높인다고 한다. 또, 학습 과정에서 웃음은 흥미를 느끼게 하고, 기억력을 높이고, 긴장을 늦추어 주며, 학습 능력을 올린다고 한다.

삶이 아무리 힘들어도 여유롭고 긍정적인 마음으로 시원하게 웃어보자. 배꼽을 움켜쥐고 눈물이 찔끔 날만큼 크게 웃어 보자. 그러면 기쁨의 에너지가 샘솟아 온갖 고민이 사라질 것이다. 그리고 하나의 웃음은 또 다른 웃음을 낳을 것이다. 세상을 기쁨으로 전염시킬 웃음 바이러스가 더 많은 웃음을 만들며 퍼져 갈 것이다.

 낱말풀이 ❶ 탄력 용수철처럼 튀거나 팽팽하게 버티는 힘. ❷ 치장 잘 매만져 곱게 꾸밈. ❸ 생기 싱싱하고 힘찬 기운.

4주 16회

해설편 08쪽

1
주제찾기

글의 중심 생각이 담긴 문장은 어느 것입니까? ─────────── ( )

① 웃음 권장량을 채우는 사람은 몇 명도 되지 않는다.

② 웃음이 설 자리를 잃은 것은 답답한 현실과 무거운 일상 때문이다.

③ 삶이 아무리 힘들어도 여유롭고 긍정적인 마음으로 시원하게 웃어보자.

④ 웃음은 답답한 현실의 무게를 덜어주고, 마법처럼 삶에 탄력을 불어넣는다.

⑤ 웃음은 그 어떤 화장품보다 눈부신 매력과 화사한 생기를 얼굴에 불어넣는다.

2
제목찾기

빈칸을 채워 읽는 이의 행동을 촉구할 수 있도록 제목을 붙여 보세요.

⇨ 많이 □□ .

3
사실이해

글의 내용을 잘못 이해한 것은 어느 것입니까? ─────────── ( )

① 나이가 들수록 웃음을 잃게 된다.

② 웃음은 인간관계를 원활하게 해 준다.

③ 웃음은 우리의 몸과 마음을 건강하게 한다.

④ 웃음에는 현실의 답답함을 덜어주는 힘이 있다.

⑤ 웃음은 학습 과정에 그다지 큰 도움이 되지 않는다.

4

내용으로 미루어볼 때, 왜 이 글을 썼다고 볼 수 있습니까? ─────────── (   )

① 사는 것이 답답하고 무겁게 느껴져서.

② 미래에 성공하는 삶을 추구하기 위해서.

③ 웃음으로 아름다운 얼굴을 만들고 싶어서.

④ 사람들과 함께 있을 때 더 많이 웃기 위해서.

⑤ 웃음이 삶의 뒷전으로 내몰린 현실이 안타까워서.

5

㉠을 글에 나온 다른 말로 바꿀 때, 알맞은 것은 어느 것입니까? ─────────── (   )

① 마법과 같은 힘   ② 설 자리를 잃은 것

③ 인간관계에서 윤활유   ④ 답답한 현실과 무거운 일상

⑤ 눈부신 매력과 튀는 듯한 생기

6

글의 짜임새를 3단계로 나누었을 때, 2단계의 내용을 모두 아우를 수 있는 문장을 글에서 찾아 쓰세요.

(   )

7

글의 짜임새에 따라 주요 내용을 아래의 표로 간추렸습니다. 빈칸에 알맞은 말을 쓰세요.

문제 제기 글 쓴 목적과 주제	삶이 무거울수록 ① ☐☐ 이 필요하다. 삶의 뒷전으로 내몰았던 웃음을 되찾아야 한다.
의견의 근거와 해결의 과정	웃음은 여러 가지 면에서 ② ☐☐ 을 준다. -네 가지 항목으로 나누어 자세히 나열
요약-반복 주제의 강조	삶이 아무리 힘들어도 여유롭고 ③ ☐☐☐ 인 마음으로 시원하게 웃어보자.

어휘 넓히기

뜻 보기 에서 아래의 설명에 알맞은 낱말을 찾아 쓰세요.

> **보기**
>
> 가볍다   무겁다   답답하다

(1) 분위기 따위가 어둡고 답답하다. ( )

(2) 노력이나 부담 따위가 적다. ( )

(3) 애가 타고 갑갑하다. ( )

다지기 아래 문장의 빈칸에 들어갈 낱말을 보기 에서 찾아 알맞게 고쳐 쓰세요.

> **보기**
>
> 가볍다   무겁다   답답하다

(1) 그의 사망 소식에 갑자기 ☐☐☐ 분위기로 바뀌었다.

(2) 문제가 풀리지 않으니 ☐☐☐ 마음을 떨칠 수 없다.

(3) 누구라도 풀 수 있는 ☐☐☐ 문제라고 만만하게 여기다.

넓히기 다음 한자어의 구성과 뜻을 알아보고, 빈칸에 알맞은 한자어를 쓰세요.

> • **미소(微** 작을 미. **笑** 웃음 소.) 소리 없이 빙긋이 웃음. 또는 그런 웃음.
> • **폭소(爆** 터질 폭. **笑** 웃음 소.) 갑자기 세차게 터져나오는 웃음.
> • **조소(嘲** 비웃을 조. **笑** 웃음 소.) 흉을 보듯이 빈정거리거나 업신여기는 일. 또는 그렇게 웃는 웃음.

(1) 그 애의 터무니없는 허풍에 친구들은 ☐☐ 를 보냈다.

(2) 아이를 보는 어머니의 입가에 ☐☐ 가 떠올랐다.

(3) 배우의 우스꽝스러운 표정에 관객들은 ☐☐ 를 터뜨렸다.

시간 공부 날짜 ☐ 월 ☐ 일

푸는데 걸린 시간 ☐ 분

확인 **맞은 개수 써보기**

| 독해 | ☐ 개/7개 | 어휘 | ☐ 개/9개 |

17

 우리는 자유를 누리며 살고 있다고 생각합니다. 그렇지만 '자유'가 무엇이며, 그것을 누리고 산다는 것이 무엇을 뜻하는지 곰곰이 생각해 본 사람은 아주 드물 거예요. 어렵겠지만 우리 주변에서 일어날 수 있는 일을 떠올려가면서 이 문제에 대해 생각해 보도록 해요.

점수 계산 1. [15점] 2. [10점] 3. [15점] 4. [15점] 5. [15점] 6. [15점] 7. [15점]

부모님과 선생님이 항상 우리에게 "이거 해라, 저거 해라!" 시킵니다.

부모님과 선생님이 시키는 일들이 정당하고 꼭 해야 할 일들인데도, 우리 마음대로 못 하게 하려고 그러는 거라는 생각이 들 때도 있나요?

우리는 혼자서 자신의 삶을 살 수 있을까요?

모든 사람이 우리에게 명령할 권리를 갖고 있나요?

나를 사랑하는 사람들은 내 마음대로 할 수 있도록 내게 날개를 달아 줍니다.

사랑하는 사람들이 우리에게 갖는 믿음 때문에 우리가 잘못된 생각을 할 수도 있을까요?

우리는 자신감을 갖기 위해서 우선 자신부터 사랑해야 하지 않을까요?

우리를 못살게 구는 사람들도 우리에게 날개를 달아 줄 수 있을까요?

우리는 다른 사람들을 기쁘게 하기 위해서 그 사람들을 따라 해야 한다고 느낄 때도 있어요.

다른 사람들을 따라 하지 않고도 그 사람들을 기쁘게 할 수는 없을까요?

자유로우려면 반드시 다른 사람들과 달라야만 할까요?

다른 사람들을 따라 하라고 시키는 건 자기 자신일까요? 아니면 다른 사람들일까요?

어쨌든 우리 자신은 다른 사람들과 닮지 않았나요?

여러 가지 활동을 배우고 직접 해 보려면 다른 사람들이 필요합니다.

이런저런 일들을 혼자서 하는 게 더 편하지 않을까요?

그런데 만약 다른 사람들이 나쁜 방법으로 우리를 해치려고 한다면 어떻게 해야 할까요?

다른 사람이 필요할 때도 우리는 자유로운 걸까요?

어려운 일을 혼자 해결할 수 있도록 사람들이 우리에게 가르쳐 주어야만 할까요?

우리는 스스로를 지킬 줄 알지요.

다른 사람들은 우리에게 언제나 겁을 주려고 그렇게 하는 걸까요?

다른 사람들로부터 끊임없이 자기 자신을 보호한다면 자유롭게 살 수 있을까요?

다른 사람들에 대한 두려움으로부터 우리는 자신을 지킬 수 있을까요?

다른 사람들로부터 자신을 지킬 수 있다면, 다른 사람들도 우리들로부터 자신을 지킬 수 있어야 할까요?

다른 사람들이 나의 자유에 방해가 되는 건 확실해요!

언제나 명령을 하고 싶어 하는 어른들은 특히 방해가 되지요.

그런데 부모님이 명령하는 게 거슬린다고 해도 부모님의 사랑은 우리에게 자신감을 준답니다.

부모님의 사랑이 우리에게 용기를 준다고 상상해 보세요!

때때로 우리는 부모님을 실망시킬까 봐 두려워서, 부모님을 따라 하고, 부모님처럼 생각하고 살아가야 한다고 마음먹지요.

그래서 우리 자신은 자유롭지 않다고 생각을 하기도 합니다.

그건 다른 친구들과도 마찬가지랍니다.

우리가 자신을 두려워하지 않으면서 다른 사람들을 인정하고 믿게 된다면 오히려 자유로워지는 게 아닐까요?

이런 질문을 하는 것은 말이야…….[앞의 질문을 한 까닭 4가지]

다른 사람들과 함께 사는 것의 좋은 점과 어려운 점들을 이해하고 받아들이도록 하기 위해서랍니다.

다른 사람들을 비난만 하는 게 아니라 다른 사람들과 함께 행동하는 것도 배우기 위해서지요.

누구나 다른 사람이 필요하다는 걸 인정하기 위해서랍니다.

자유로운 게 외롭다는 것도 깨닫고, 외로운 것을 참을 줄도 알아야 하기 때문입니다.

1 주제찾기

글의 중심 내용을 가장 잘 드러낸 것은 어느 것입니까? ·········· (   )

① 자유와 간섭
② 자유로움의 행복
③ 자유의 참된 의미
④ 자유를 사랑하는 마음
⑤ 자유와 모든 사람의 권리

2 제목찾기

글 전체의 내용을 아우를 수 있도록 제목을 붙여보세요.

    □ □ 가 뭐예요?

3 사실이해

글쓴이는 무엇을 밑바탕에 놓고 질문을 계속 펼쳐나간 것입니까? ·········· (   )

① 부모님과 선생님은 정당하다.
② 우리는 명령할 권리를 가지고 있다.
③ 우리는 사람들을 기쁘게 해주어야 한다.
④ 우리는 모두 다른 사람과 더불어 살아간다.
⑤ 누구든 다른 사람들로부터 자신을 지켜야 한다.

4 미루어알기

이 글을 바탕으로 다음과 같이 생각해 보았습니다. 빈칸에 공통으로 들어갈 낱말을 쓰세요.

> 식당에서 아이들이 시끄럽게 뛰어다닐 때 식당의 다른 사람들은 편안하게 식사를 즐길 ⬜⬜ 를 방해받고 있습니다. 나의 ⬜⬜ 를 위해서 다른 사람의 ⬜⬜ 를 침해한다면 거꾸로 다른 사람도 나의 ⬜⬜ 를 침해할 것입니다.

5 세부내용

글을 마무리 짓기 위해 반드시 말할 수밖에 없는 것은 무엇입니까? ·············· (　　)

① 모든 사람이 우리에게 명령할 권리를 갖고 있지는 않습니다.
② 우리는 자신감을 갖기 위해서, 우선 자신부터 사랑해야 합니다.
③ 이런저런 일들을 혼자서 하는 게 오히려 더 편할 때가 있습니다.
④ 우리가 다른 사람들을 인정하면서 믿게 된다면 더 자유로워집니다.
⑤ 다른 사람의 자유를 위해서 우리의 자유를 제한할 때도 가끔 있습니다.

6 적용하기

글을 읽고, 토론의 주제로 삼기에 어울리지 않는 질문은 어느 것입니까? ······· (　　)

① 우리는 혼자서 살아갈 수 있을까요?
② 우리 자신은 다른 사람들과 닮지 않았나요?
③ 다른 사람이 필요할 때도 우리는 자유로운 걸까요?
④ 자유로우려면 반드시 다른 사람들과 달라야만 할까요?
⑤ 사람들로부터 자신을 보호한다면 자유롭게 살 수 있을까요?

7 요약하기

다음은 이 글의 결론입니다. 빈칸에 공통으로 들어갈 말을 쓰세요.

> 우리는 여러 사람과 함께 살고 있기 때문에 다른 사람의 ⬜⬜ 를 위해서 자신의 ⬜⬜ 를 조금 양보하고 상대방을 존중해야 합니다. 그때에야 비로소 우리는 사회 속에서 참된 ⬜⬜ 를 누릴 수 있게 됩니다.

뜻 낱말의 뜻풀이로 알맞은 것을 보기 에서 골라 괄호 안에 기호를 쓰세요.

(1) 지키다 (　　)

(2) 따르다 (　　)

(3) 어울리다 (　　)

보기
ㄱ 좋아하거나 존경하여 가까이 좇다.
ㄴ 함께 사귀어 잘 지내거나 일정한 분위기에 끼어 들어 같이 휩싸이다.
ㄷ 재산, 이익, 안전 따위를 잃거나 침해당하지 아니하도록 보호하거나 감시하여 막다.

다지기 아래의 설명에 해당하는 낱말을 위에서 뜻풀이한 낱말에서 찾아 쓰세요.

(1) 다른 사람의 명령을 고분고분 받아들여 좇다. (　　　　　　)

(2) 여러사람들과 함께 모임에 끼어들어 지내다. (　　　　　　)

(3) 다른 사람의 사소한 간섭도 나를 자유롭지 않게 한다고 하여 막다.

(　　　　　　)

넓히기 다음 한자어의 구성과 뜻을 알아보고, 빈칸에 알맞은 한자어를 쓰세요.

• **自由自在**(스스로 자. 말미암을 유. 스스로 자. 있을 재) 자기 마음대로 할 수 있음.
• **自問自答**(스스로 자. 물을 문. 스스로 자. 대답 답.) '스스로 묻고 스스로 대답한다.'는 뜻으로, 마음속으로 대화함을 이르는 말.

(1) 텔레비전에 손목을 □□□□로 돌리는 사람이 나와서 신기했다.

(2) 인생이란 무엇인가에 대해 알기 위해 끊임없이 □□□□을 했다.

시간 공부 날짜 □ 월 □ 일

푸는데 걸린 시간 □ 분

확인 맞은 개수 써보기

독해	□ 개/7개	어휘	□ 개/8개

백두산은 우리나라에서 가장 높은 산이죠. 여기에도 마그마라는 불덩어리를 뿜었던 분화구가 있는 것을 보면 화산임을 알 수 있어요. 100여 년 전에 작게 불을 뿜고 지금은 잔잔하니까 휴화산이에요. 휴화산은 말 그대로 활동을 쉬고 있는 화산이에요. 언제 다시 불을 뿜으며 활동을 이어갈지 알기 어려우며, 어떤 규모일지도 미리 헤아리기 어려워요.

점수
계산   1. 15점   2. 15점   3. 10점   4. 15점   5. 15점   6. 15점   7. 15점

　　땅속 마그마가 지각의 틈을 통하여 지표면으로 나올 때 분출물이 쌓이면서 생긴 지형이 화산입니다. 우리가 밟고 있는 땅은 차갑지만, 그 땅속을 매우 깊이 들어가 보면 딱딱한 암석이 녹아 있을 만큼 뜨거워요. 이렇게 땅속에 암석이 녹아 있는 것을 마그마라고 해요. 마그마는 수증기, 이산화탄소 등의 기체가 많이 들어 있어 딱딱한 암석보다 가벼워요. 마그마가 화산 폭발로 땅 밖으로 나와 기체가 빠져나간 것이 용암이랍니다.

　　화산 활동으로 땅이 ㉠비옥해져서 농사에 큰 도움이 되는 등 이점도 있지만, 적지 않게 피해도 발생한답니다. 집이나 농경지가 용암이나 화산재에 묻히는가 하면 건물이 부서지고 사람이 다치기도 합니다. 또 화산재가 햇빛을 가려 동식물에 피해를 주기도 하고, 항공 교통과 통신에 장애가 되기도 합니다. 산불이나 산사태가 일어나고, 지진이 발생하기도 합니다.

　　우리나라에서 이러한 화산 활동에 대한 기록은 백두산이 대표적입니다. '고려사'에 기록되어 있는 것을 보면, 백두산은 946년부터 947년까지 대규모의 분출❶ 활동을 하였다고 합니다. 그 당시 화산이 ㉡분출하는 소리가 개성까지 들렸고, 화산재는 일본까지 날아갔다고 합니다. 그 뒤 약 1,000년 동안 십여 차례 작은 분출이 있었고, 1903년에 마지막 분출이 있었습니다.

　　백두산이 분출하면 천지에 고여 있는 많은 양의 물이 쏟아질 수 있습니다. 일부 학자들은 매우 격렬한 분출 활동이 일어날 수도 있다고 주장하고 있습니다. 전문가 사이에도 엇갈린 주장이 있어서 앞으로도 백두산 화산 활동에 관한 연구가 계속되어야 하겠습니다.

❶ 분출 액체나 기체 상태의 물질이 솟구쳐서 뿜어져 나옴. 또는 그렇게 되게 함.

1

주제찾기

글 후반부의 중심 내용으로 알맞은 것은 어느 것입니까? ───────── (   )

① 땅속의 마그마
② 화산의 분출물
③ 마그마와 용암
④ 백두산의 화산 활동
⑤ 화산 활동의 이익과 손해

2

제목찾기

글감으로 삼은 것이 무엇인지 찾아 쓰세요.

┌───┐
│   □ □ □ □   │
└───┘

3

사실이해

글의 내용과 일치하지 <u>않는</u> 것은 무엇입니까? ───────── (   )

① 땅속 깊은 곳은 매우 뜨겁다.
② 화산재가 하늘로 솟아 햇빛을 가린다.
③ 백두산은 10세기에 마지막으로 분출했다.
④ 백두산 천지에는 많은 양의 물이 고여 있다.
⑤ 마그마에서 기체가 빠져나간 것이 용암이다.

4

미루어알기

글을 읽고 새롭게 떠올려 볼 수 있는 내용으로 알맞은 것은 어느 것입니까? (   )

① 기체는 고체보다 가볍다.
② 비중이 낮아진 암석이 용암이다.
③ 화산재에는 해로운 물질만 섞여 있다.
④ 화산 활동과 지진 해일은 전혀 관계가 없다.
⑤ 백두산의 화산 활동에 대한 학자들의 의견은 일치한다.

해설편 09쪽

5

세부내용

㉠과 ㉡을 알기 쉬운 우리말로 알맞게 바꾼 것은 어느 것입니까? ─────── (   )

① 두꺼워져서–깨지는

② 기름져져서–내뿜는

③ 허물어져서–터지는

④ 두꺼워져서–내뿜는

⑤ 기름져져서–깨뜨려지는

6

적용하기

다음 글의 밑줄 친 부분에 해당하는 내용을 본문에서 찾아 쓰세요.

> 10세기 초까지 백두산 일대와 중국의 요동에 걸쳐 번성하고 있었던 발해국이 10세기 후반 이후 쇠퇴의 길을 걷게 되었다. 크게 융성하였던 발해국이 뚜렷한 이유없이 쉽게 무너졌으므로 9~10세기 경에 일어난 자연현상에 그 원인이 있다고 보는 견해가 있다.

⇨ ☐☐☐ 의 ☐☐☐☐☐

7

요약하기

글의 내용을 펼쳐진 순서에 따라 내용을 간추렸어요. 빈칸에 알맞은 낱말을 쓰세요.

화산, 마그마, ① ☐☐ 등의 뜻풀이

↓

화산 활동에 의한 이점과 ② ☐☐

↓

백두산의 화산 ③ ☐☐

↓

백두산 화산 활동 ④ ☐☐ 의 필요성

어휘 넓히기

뜻　낱말의 뜻풀이로 알맞은 것을 보기 에서 골라 괄호 안에 기호를 쓰세요.

(1) 들리다 (　　　)

(2) 묻히다 (　　　)

> 보기
>
> ㉠ 물건이 흙이나 다른 물건 속에 넣어져 보이지 않게 덮이다.
>
> ㉡ 사람이나 동물의 감각 기관을 통해 소리가 알아차려 지다.

다지기　아래 문장의 빈칸에 알맞은 낱말을 보기 에서 찾아 쓰세요.

> 보기
>
> 묻히다　　들리다

(1) '　　　'는 '가루를 묻게 하다'라는 뜻도 있지만 '보이지 않게 덮이다'라는 뜻도 가져요.

(2) '　　　'는 '귀와 같은 감각 기관을 통해 소리를 듣다'라고 할 때의 '듣다'에서 비롯된 말이에요.

넓히기　다음 한자어의 구성과 뜻을 알아보고, 빈칸에 알맞은 한자어를 쓰세요.

> • **폭발(爆** 터질 폭. **發** 필 발.) 불이나 강력한 바람 따위가 일어나면서 갑작스럽게 터짐.
>
> • **분출(噴** 뿜을 분. **出** 나올 출.) 액체나 기체가 뿜어져 나옴. 또는 그렇게 함.

(1) 화산이 폭발하면서 화산재, 돌 부스러기 등이 　　 하여 하늘이 먹구름으로 덮인 듯하였다.

(2) 예측하지 못했던 화산이 　　 하여 큰불이 일어나고 천둥 같은 큰소리가 들렸다.

시간　공부 날짜 　　 월 　　 일

푸는데 걸린 시간 　　 분

확인　맞은 개수 써보기

독해	개/7개	어휘	개/6개

이야기에서 내가 보고 듣고 겪은 듯한 장면이 나오면, '나는 그런 경우에 어떻게 생각하고 행동했지?'라는 식으로 스스로 묻고 거기에 답하는 방식으로 이야기를 읽어야 해요. 이렇게 읽으면 훨씬 재미가 있고 이해가 쉽게 되어요.

점수
계산 1. 10점 2. 15점 3. 15점 4. 15점 5. 15점 6. 15점 7. 15점

[앞의 줄거리] '나'(성미)는 교실 뒤에 붙어 있던 자신의 사진이 없어졌다는 소식을 듣고 누가 사진을 뜯어 갔냐며 소리를 질렀다. '나'는 남자아이들을 의심했지만 오히려 영만이는 '나'를 약 올리며 놀렸다.

　그때 교실 뒷문으로 민철이가 들어왔다. / "순둥아, 네가 사진 가져갔지?"

　영만이는 마침 잘됐다는 듯이 민철이를 다그쳤다. 민철이는 고개를 빠르게 가로저었다. 겁에 질린 표정이었다. / "왜 또 엉뚱한 사람을 괴롭히니?" / 나는 야무지게 소리쳤다.

　영만이와 몇몇 아이가 민철이를 두둔하는❶ 나를 더 약 올리려고 일부러 짓궂게 굴었다. 아이들은 민철이의 주머니를 뒤졌다. 민철이는 몸만 움찔거렸다.

　민철이는 우리 옆집에 산다. 그래서 민철이 어머니께서 민철이를 야단치시는 소리를 자주 듣는다. / "아이들이 널 괴롭혀도 가만있으니까 더 얕보는 거야. 키는 멀쑥하게❷ 커 가지고 왜 당하기만 하니?" / 나는 민철이 어머니의 말씀을 그대로 흉내 내었다.

　나는 조심스럽게 내 손수건을 주었다.

　"저 앤 겁쟁이만 아니면 참 좋은데……." / "겁쟁이라도 난 민철이가 좋아."

　쉬는 시간에 혼자서 책을 읽는 민철이를 보며 이렇게 자기 마음을 털어놓는 여자아이들도 있었다. 그럴 땐 나도 모르게 얼굴이 빨개진다. 사실은 나도 민철이가 좋기 때문이다.

　남자아이들은 민철이 주머니에서 껌을 꺼냈다. / "이런 건 나누어 먹어야지."

　남자아이들은 자기들 마음대로 포장을 뜯어 껌을 나누어 먹으면서 이번에는 책가방을 뒤지기 시작하였다. 그런데도 민철이는 가만히 서 있기만 하였다.

　"에그! 저 바보." / 나는 나도 모르게 입술을 꼭 깨물며 중얼거렸다.

　"민철이 너, 엄마한테 혼나도 좋지?"

　나는 어떻게 하든지 민철이가 자기 힘으로 남자아이들을 밀쳐 내게 하고 싶었다. 그러나 민철이는 겁을 잔뜩 먹은 눈으로 자기 책가방만 내려다보고 있었다.

　영만이가 귤 한 개를 까먹으면서 민철이의 가방에서 작은 수첩 한 권을 꺼냈다.

　그러자 뜻밖의, 정말 뜻밖의 일이 벌어졌다. 민철이가 재빠르게 영만이의 손에서 수첩을 낚아챈 것이다. 민철이가 다른 아이에게 대항한 최초의 행동이었다. 다른 사람이 아닌 싸움 대장 영만이에게…….

　"너, 아무래도 수상해. 이리 안 줘?"

　영만이가 눈을 부라리며❸ 민철이의 팔을 잡아 비틀었다. 나는 그러는 영만이를 뒤에서

확 밀어 버릴 생각으로 몸을 움직였다. 그러나 내가 한 발을 움직이는 순간에 누구인가 교실 바닥에 나뒹굴었다.

나는 내 눈을 의심하였다. 교실 바닥에 나뒹군 아이는 민철이가 아닌 영만이었다.

"어?"

반 아이들이 믿기지 않는다는 눈빛으로 민철이와 영만이를 번갈아 보았다.

자존심이 상한 영만이는 입술을 잔뜩 깨물더니 벌떡 일어나 민철이에게 달려들었다. 영만이의 무서운 기세에 아이들은 얼어붙은 듯 서 있었다. 나는 눈을 질끈 감아 버렸다.

"어어?" / "아니?"

우당탕하는 소리를 듣고 나는 눈을 떴다. 정말 놀라운 일이었다. 떡 버티고 선 민철이 앞에 영만이가 넘어져 있었다. / "사진, 저기 있다!"

누구인가 소리쳤다. 속이 펼쳐진 수첩 사이에서 환히 웃고 있는 내 사진이 보였다. 나는 멍하게 서 있는 아이들은 밀치고 여유 있게 수첩을 집어 들었다. 민철이는 죄를 지은 사람처럼 울상이 되어 어쩔 줄 몰라 하였다.

 낱말풀이 ❶ 두둔하다 편들어 감싸 주거나 역성을 들어 주다. ❷ 멀쑥하다 지저분함이 없이 훤하고 깨끗하다. 멋없이 키가 크고 물러옹골한 데가 없다. ❸ 부라리다 눈을 크게 뜨고 눈망울을 사납게 굴리다.

1
주제찾기

이야기의 제목은 '행복한 비밀 하나'입니다. 이 비밀은 누가 간직한 비밀인지 글에서 찾아 이름을 쓰세요.

(   )

2
제목찾기

이야기의 줄거리를 이끌어가도록 하는 중심 소재는 무엇입니까? ·········· (   )

① 성미의 사진   ② 성미의 성격   ③ 영만의 능청
④ 민철의 수첩   ⑤ 민철의 강아지

3
사실이해

성미의 사진을 가져간 사람은 누구입니까? ····································· (   )

① 성미   ② 영만   ③ 민철
④ 여자아이들   ⑤ 남자아이들

4

미루어알기

이야기의 흐름을 온통 바꾼 사건은 무엇입니까? —————————— (   )

① 성미의 사진이 사라졌다.

② 남자아이들이 성미를 약 올렸다.

③ 영만이가 사진 대신 종이쪽지를 붙였다.

④ 민철이네 집에서 키우던 강아지가 죽었다.

⑤ 영만이가 민철이의 가방에서 수첩을 꺼냈다.

5

세부내용

영만의 사람 됨됨이를 가장 잘 표현한 말은 어느 것입니까? —————— (   )

① 밉다   ② 짓궂다   ③ 정의롭다

④ 욕심 많다   ⑤ 인정이 많다

6

적용하기

민철이의 행동에서 성격을 떠올려 빈칸에 알맞은 낱말을 쓰세요.

⇨ 민철이는 [   ] 이 많은 것 외에는 나무랄 데가 없는 아이이다.

7

요약하기

이야기의 결말을 아래와 같이 덧붙였습니다. 빈칸을 채워 완성하세요.

① [   ][   ] 는 ② [   ][   ] 이가 자신을 좋아한다는 사실을 알아차

리고 민철이에게 자신의 ③ [   ][   ] 을 주었다.

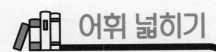

어휘 넓히기

뜻 낱말의 뜻풀이로 알맞은 것을 보기 에서 골라 괄호 안에 기호를 쓰세요.

(1) 가로젓다 (　　　)

(2) 끄덕이다 (　　　)

보기
ㄱ 고개 따위를 아래위로 거볍게 움직이다. 주로 '고개를 끄덕이다.'라는 관용구로 표현됨.
ㄴ 거절하거나 부정하거나 의심스럽다는 뜻으로 고개나 손을 가로 방향으로 젓다. 주로 '고개를 가로젓다.'라는 관용구로 표현됨.

다지기 아래 문장의 빈칸에 들어갈 낱말을 보기 에서 찾아 알맞게 고쳐 쓰세요.

보기
끄덕이다　　　가로젓다

(1) 그는 내 말에 맞장구를 치면서 고개를 [　][　][　][　].

(2) 그 값에는 어림도 없다는 듯이 고개를 [　][　][　][　].

넓히기 다음 한자어의 구성과 뜻을 알아보고, 빈칸에 알맞은 한자어를 쓰세요.

- **사진**(寫 베낄 사. 眞 참 진.) 물체를 있는 모양 그대로 그려 냄. 또는 그렇게 그려 낸 형상.
- **수첩**(手 손 수. 帖 문서 첩.) 몸에 지니고 다니며 간단한 기록을 하는 조그마한 공책.
- **비밀**(秘 숨길 비. 密 빽빽할 밀.) 숨겨 남에게 드러내거나 알리지 말아야 할 일.

(1) 잊어버리기를 잘하는 사람은 [　][　]을 가지고 다니면서 중요한 일을 적어두어야 한다.

(2) 실물 그대로를 옮겨놓았다는 [　][　]으로도 풍경의 분위기를 전하지는 못한다.

(3) 남에게 터놓기는 부끄러워서 혼자만 가슴에 새겨둔 [　][　]이 있다.

시간 공부 날짜 [　]월 [　]일　　푸는데 걸린 시간 [　]분

확인 맞은 개수 써보기
독해 [　]개/7개　　어휘 [　]개/7개

문학은 우리가 겪는 세상을 말을 통해 새롭게 꾸며 보이는 특징이 있어요. 시에서 이런 특징이 더욱 강하게 나타나요. 시인은 상상력이 풍부한 사람이라 할 수 있겠죠. 때로는 상상력을 발휘하여 가상 세계를 꾸며 거기에서는 어떤 삶이 펼쳐질지 그려 보이기도 해요. 이런 시를 읽을 때는 읽는 사람도 상상력을 한껏 발휘해야 해요.

점수
계산

1. 15점   2. 15점   3. 10점   4. 15점   5. 15점   6. 15점   7. 15점

단 하루만이라도 어른들을 거인국으로 보내자.

그곳에 있는 것들은 모두 어마어마하게 크겠지.

거인들 틈에 끼이면 어른들은 우리보다 더 작아 보일 거야.

찻길을 가로지르는 횡단보도는 얼마나 길까?

아마 100미터도 넘을 텐데

신호등의 파란불은 10초 동안만 켜지겠지.

거인들은 성큼성큼 앞질러 건너가고

어른들은 종종걸음으로 뒤따를 텐데…….

글쎄, 온 힘을 다해 뛰어도

배가 불뚝한 어른들은 찻길을 다 건널 수 없을 걸.

절반도 채 건너기 전에 빨간불로 바뀌어

길 한복판에 갇히고 말 거야.

뭘 꾸물거리느냐고 차들은 빵빵거리고

교통순경은 삑삑 호루라기를 불어 대겠지.

이마에 흐르는 땀을 훔쳐 내며

어른들은 쩔쩔맬 거야.

그때, 어른들은 무슨 생각을 하게 될까?

1 주제찾기

시의 중심 생각을 주제로 삼아 편지를 쓴다면, 주제문으로 알맞은 것은 어느 것입니까? .... (   )

① 거인 나라에도 신호등이 있어요.

② 아이들은 거인만큼 클 수 있지요.

③ 거인들에게는 어른들이 작아 보이지요.

④ 횡단보도의 신호등을 바꾸지 말아주세요.

⑤ 어린이가 겪는 어려움을 어른들도 알아주세요.

2 글감찾기

시에서 말하는 사람이 떠올려 본 세계는 어떤 곳입니까?

| ☐ ☐ 들이 사는 나라 |

3 사실이해

현실에서 아이들이 경험하고 있는 일 중, 시에서 강조하여 드러낸 것은 무엇입니까? .... (   )

① 횡단보도를 건너는 일

② 찻길을 가로질러 가는 일

③ 어른들을 빠르게 뒤따르는 일

④ 거인국에서 거인을 따라잡는 일

⑤ 교통순경의 호루라기 소리를 듣는 일

4 미루어알기

어른들이 거인국으로 간다고 했을 때, 겪을 어려움과 거리가 먼 것은 어느 것인가요? .... (   )

① 어른들이 성큼성큼 앞질러 길을 건너간다.

② 숟가락이 너무 커서 음식 먹기가 불편하다.

③ 어른들이 종종걸음으로 횡단보도를 건너간다.

④ 계단이 너무 높아 오르락내리락하기 불편하다.

⑤ 손잡이가 너무 높아서 문을 여닫기 무척 힘들다.

5 세부내용

'거인들이 사는 나라'에서 '어른'은 현실에 사는 누구와 비슷한 처지에 놓입니까?

── ( )

① 어린이
② 청소년
③ 부모님
④ 선생님
⑤ 경찰관

6 적용하기

시의 '거인국'에 빗대어 '현실'에서 아이들이 겪는 어려움을 정리해 보았습니다. 옳은 것에 동그라미 하세요.

> • 횡단보도 신호등의 ① [빨간불 / 파란불]이 켜지는 시간이 짧다.
>   교통질서를 지키지 않을 때 교통순경이 호루라기를 불어댄다.
> • ② [아이들 / 어른들] 위주로 규칙을 만든다.

7 요약하기

시에서 상상한 내용을 두 가지로 간추렸습니다. 빈칸에 공통적으로 들어갈 낱말을 쓰세요.

거인들 사이에 있는 □□□ 을 상상함.

↓

거인국에서의 겪은 □□□ 의 불편을 상상함.

어휘 넓히기

뜻 낱말의 뜻풀이로 알맞은 것을 [보기]에서 골라 괄호 안에 기호를 쓰세요.

(1) 어마어마하다 (　　　)

(2) 꾸물꾸물하다 (　　　)

[보기]
ㄱ 매우 자꾸 느리게 움직이다. 굼뜨고 게으르게 행동하다.
ㄴ 매우 놀랍게 엄청나고 굉장하다.

다지기 빈칸에 알맞은 단어를 [보기]에서 골라 알맞게 고쳐 쓰세요.

[보기]
어마어마하다　　　꾸물꾸물하다

(1) 네가 [　][　][　][　] 하는 바람에 기차를 놓쳤잖아!

(2) 친구는 [　][　][　][　] 한 속도로 달려가, 공을 찼다.

넓히기 다음 한자어의 구성과 뜻을 알아보고, 빈칸에 알맞은 한자어를 쓰세요.

- **거인국**(巨 클 거. 人 사람 인. 國 나라 국.) 거인들만 살고 있다는 상상의 나라.
- **거시적** (巨 클 거. 視 볼 시. 的 과녁 적.) 어떠한 대상을 전체적으로 분석하여 파악하는 것. 인간의 감각으로 식별할 수 있는 것.
- **거창**(巨 클 거. 創 비롯할 창.)**하다** 일의 규모나 형태가 매우 크고 넓다.

(1) 〈걸리버 여행기〉에서 걸리버는 소인국과 [　][　][　]에서 공통된 문제점을 발견했다.

(2) 이모부는 툭하면 [　][　][　]으로 크게 보라고 하신다.

(3) [　][　][　] 계획에도 불구하고, 현실적으론 이렇다 할 성과가 없었다.

시간 공부 날짜 [　] 월 [　] 일
푸는데 걸린 시간 [　] 분

확인 맞은 개수 써보기

| 독해 | [　]개/7개 | 어휘 | [　]개/7개 |

어휘·어법 총정리 👓

어휘 보기 의 낱말을 보고, 뜻과 어울리는 것을 골라 아래의 빈칸에 써보세요.

> **보기**
>
> 권장량   두둔하다   윤활유   조소   가로젓다   따르다   묻히다   분출

1. 좋아하거나 존경하여 가까이 좇다.

2. 물건이 흙이나 다른 물건 속에 넣어져 보이지 않게 덮이다.

3. 액체나 기체가 뿜어져 나옴.

4. 건강한 생활을 위해 섭취하기를 권하는 양.

5. 흉을 보듯 빈정거리거나 업신여기는 일. 또는 그렇게 웃는 웃음.

6. 편들어 감싸 주거나 역성을 들어 주다.

7. 기계의 마찰 부분에 생기는 열이나 마모를 방지하거나 분산시킬 목적으로 쓰는 기름.

8. 거절하거나 부정하거나 의심스럽다는 뜻으로 고개나 손을 가로 방향으로 젓다.

어법 다음 중 맞춤법에 맞는 것을 골라 동그라미 하세요.

1. [면역 체계 / 면역 채계]

2. 에너지가 [셈솟는다 / 샘솟는다].

3. 나랑 [닮지 / 담지] 않았어?

4. 내 [마음대로 / 마음데로] 할 거야.

5. 우리를 [못살게 / 못살개] 군다.

6. [얼갈린 / 엇갈린] 주장

7. 컵이 [바닦 / 바닥]에 떨어졌다.

8. 화산이 [폭팔 / 폭발]했다.

9. [짓궂은 / 짓궃은 / 짓꿏은] 농담.

10. 수첩을 [낙까챘다 / 낚아챘다].

확인 나의 점수 확인하기

어휘	개 / 8개	어법	개 / 10개

5주차

회차 / 영역	제목	계획 및 점검
21 인문ㅣ설득의 글	**효은이와 주고받은 편지** • 나는 ☐월 ☐일 ☐시에 공부할 것입니다.	• 독해력에서 나의 점수는 ☐점입니다. • 어휘력에서 맞은 문제수는 ☐개 / 7개 입니다. • 어려웠던 문제는 _____ 번입니다.
22 사회ㅣ논설문	**지구가 100명의 마을이라면** • 나는 ☐월 ☐일 ☐시에 공부할 것입니다.	• 독해력에서 나의 점수는 ☐점입니다. • 어휘력에서 맞은 문제수는 ☐개 / 9개 입니다. • 어려웠던 문제는 _____ 번입니다.
23 과학ㅣ설명문	**수천 년 만에 싹튼 씨** • 나는 ☐월 ☐일 ☐시에 공부할 것입니다.	• 독해력에서 나의 점수는 ☐점입니다. • 어휘력에서 맞은 문제수는 ☐개 / 7개 입니다. • 어려웠던 문제는 _____ 번입니다.
24 산문문학ㅣ이야기	**독 안에 든 빵 작전** • 나는 ☐월 ☐일 ☐시에 공부할 것입니다.	• 독해력에서 나의 점수는 ☐점입니다. • 어휘력에서 맞은 문제수는 ☐개 / 7개 입니다. • 어려웠던 문제는 _____ 번입니다.
25 운문문학ㅣ시	**엄마의 런닝구** • 나는 ☐월 ☐일 ☐시에 공부할 것입니다.	• 독해력에서 나의 점수는 ☐점입니다. • 어휘력에서 맞은 문제수는 ☐개 / 6개 입니다. • 어려웠던 문제는 _____ 번입니다.

• 이번 주 독해력 문제에서 나의 점수는 평균 ☐점입니다.

• 이번 주 어휘력에서 맞은 문제수는 모두 ☐개입니다.

편지로 된 설득하는 글 두 편입니다. 편지로 되어 있더라도 설득하는 글이니까 내용은 둘로 이루어져요. 의견 또는 주장과 그 까닭으로 이루어져요. 이 둘이 없으면 설득하는 글이 되지 못해요. 읽을 때는 이 둘을 구별해야 해요.

점수
계산   1. 15점   2. 10점   3. 15점   4. 15점   5. 15점   6. 15점   7. 15점

(가) 안녕하세요?

저는 산 깊고 물 맑은 상수리에 사는 김효은입니다. 우리 마을은 앞으로 만강이 흐르고, 뒤로는 우뚝 솟은 산봉우리들이 병풍처럼 둘러싸고 있어 한 폭의 그림처럼 아름답습니다.

숲에는 천연기념물인 황조롱이, 까막딱따구리 같은 새들과 하늘다람쥐가 살고 있습니다. 그리고 만강에는 쉬리나 배가사리, 금강모치 등 우리나라의 토종 물고기가 많이 살고 있습니다.

그런데 어제 만강에 댐을 건설할 수 있는지 알아보기 위하여 담당자들께서 우리 마을을 방문하셨습니다. 담당자들께서는 지난해에 비가 많이 와서 만강 하류에 있는 도시에 물난리가 났다고 말씀하셨습니다. 그래서 홍수를 막으려면 우리 마을에 댐을 건설하여야 한다고 하셨습니다.

하지만 저는 댐을 건설하는 것에 반대합니다. 우리 상수리에 댐을 건설하면 숲에 사는 동물들은 살 곳을 잃고, 만강의 물고기들도 다시는 볼 수 없게 될 것입니다. 그리고 마을 어른들께서는 평생 살아온 고향을 떠나야 한다고 말씀하십니다. 우리 마을에 댐을 건설하기로 한 계획을 취소하여 주시기 바랍니다.

20○○년 6월 10일

김효은 올림

(나) 안녕하세요?

김효은 학생의 편지를 잘 읽어 보았습니다.

아름다운 상수리가 댐 건설로 겪게 될 어려움을 잘 알고 있습니다. 하지만 댐을 건설하는 것은 상수리 마을 주민들만의 문제가 아니라 우리 지역 전체의 문제입니다.

만강에 댐을 건설하면 여름철에 폭우로 생기는 문제를 막을 수 있습니다. 비가 내리는 대로 강을 따라 흘러가게 내버려 두면 강 하류에서는 강물이 넘쳐서 논과 밭이 빗물에 잠기기도 합니다. 그리고 집과 길이 부서지고, 심지어 사람의 목숨까지 잃을 만큼 위험합니다. 하지만 댐을 건설하면 홍수로 인한 이런 피해를 막을 수 있습니다.

우리는 상수리 마을 주민들에게 피해가 가지 않도록 ⊙주민들이 이사하는 데 모든 지원을 아끼지 않을 것입니다. 댐을 건설하기 위해서는 상수리 마을 주민들의 협조가 필요합니다. 김효은 학생도 이러한 점을 잘 이해하여 주시기 바랍니다.

20○○년 6월 13일

댐 건설 기관 담당자 드림

1 두 사람은 어떤 문제 상황에서 주장을 주고 받고 있습니까? ─────── (   )

주제찾기

① 아름다운 경치의 주인이 누구인지 가리려 하고 있다.

② 댐 건설을 둘러싸고 주민과 기관이 서로 다투고 있다.

③ 천연기념물의 보호에 관해 주도권을 서로 주장하고 있다.

④ 토종 물고기를 누가 잡을 것인지 마을 사람들이 다투고 있다.

⑤ 홍수가 났을 때 피해를 방지할 수 있는 방안을 제시하고 있다.

2 주고받은 두 편의 편지에서 무엇을 문제로 삼았습니까?

글감찾기

만강의 □□□

3 학생의 편지와 담당자의 편지에서 서로 차이 나는 점은 무엇입니까? ─────── (   )

사실이해

① 학생의 편지에는 높임말을 사용했다.

② 담당자의 편지에는 높임말을 사용했다.

③ 학생의 편지에는 분명하게 주장하는 문장이 있다.

④ 담당자의 편지에는 분명하게 주장하는 문장이 있다.

⑤ 학생의 편지에만 주장의 근거를 말한 문장이 있다.

4 학생과 담당자의 주장과 근거에 대한 평가로 가장 알맞은 것을 고르세요. ····· (   )

미루어알기

① 학생의 주장과 근거만 타당성이 있다.

② 담당자의 주장과 근거만 타당성이 있다.

③ 학생의 주장은 타당하지만 근거는 타당하지 않다.

④ 담당자의 주장은 타당하지만 근거는 타당하지 않다.

⑤ 학생과 담당자의 주장과 근거가 모두 타당성이 있다.

5 ㉠에 대해 주민들이 담당자에게 사용하기에 알맞은 속담은 무엇입니까? ····· (   )

세부내용

① 김칫국부터 마신다.　　　② 꼬리가 길면 밟힌다.

③ 나이 이길 장사 없다.　　　④ 다 된 죽에 코 빠졌다.

⑤ 말 많은 집 장맛도 쓰다.

6 두 사람의 편지를 모두 읽고 자신의 주장을 정하려 할 때 어떻게 해야 할지 아래의 빈칸을 채우세요.

적용하기

> 　자연보전과 마을 주민 터전 지키기와 [　][　]로 인한 피해를 막는 것 중 무엇이 더 중요한지 따져보고 의견을 정합니다.

7 '효은'과 '담당자'의 편지의 내용을 주장과 근거로 나누어 정리해 보았습니다. 빈칸에 알맞은 말을 쓰세요.

요약하기

	주장	근거
효은	댐 건설을 ①[　][　] 한다.	②[　][　]들이 살 곳을 잃고, 토종 물고기들을 다시는 볼 수 없게 된다.
담당자	댐을 건설해야 한다.	여름철 ③[　][　]로 인한 피해를 막을 수 있다.

어휘 넓히기

뜻

낱말의 뜻풀이로 알맞은 것을 보기 에서 골라 괄호 안에 기호를 쓰세요.

(1) 산봉우리 (   )

(2) 산등성이 (   )

보기
ㄱ 산의 등줄기.
ㄴ 산에서 뾰족하게 높이 솟은 부분.

다지기

위에서 익힌 낱말을 아래 문장의 빈칸에 넣어 문장을 완성하세요.

(1) 백두산에서 뻗어내린 굵은 [ ][ ][ ][ ]를 백두대간이라 부른다.

(2) 밤새 내린 눈으로 뾰족뾰족하게 솟아나 있는 [ ][ ][ ][ ]들이 흰모자를 쓴 듯하다.

5
주
21
회

해설편
11쪽

넓히기

다음 한자어의 구성과 뜻을 알아보고, 빈칸에 알맞은 한자어를 쓰세요.

- **담당**(擔 멜 담. 當 마땅 당.) 어떤 일을 맡음. 어떤 일을 맡아서 하는 사람.
- **당연**(當 마땅 당. 然 그럴 연.) 일의 앞뒤 사정을 놓고 볼 때 마땅히 그러함. 또는 그런 일.
- **상당**(相 서로 상. 當 마땅 당.) 일정한 액수나 수치 따위에 해당함.

(1) 오백만 원 [ ][ ]의 귀중품을 도난당했다는 소식에 놀랐다.

(2) 너무나도 [ ][ ]하고 상식적인 것이기에 긴 설명을 하지 않겠다고 했다.

(3) 오늘의 분리수거함 정리 [ ][ ]은 나다.

시간

공부 날짜 [ ]월 [ ]일

푸는데 걸린 시간 [ ]분

확인

맞은 개수 써보기

| 독해 | [ ]개/7개 | 어휘 | [ ]개/7개 |

22

오늘날 인류의 삶을 위태롭게 만드는 문제는 지나치게 많은 지구 인구 때문이라고 해요. 식량과 에너지 자원 부족, 공기를 비롯한 각종 오염, 이상 기후로 인한 홍수와 가뭄 등 모든 문제가 지구가 감당하기 어려울 만큼 인구가 많아졌기 때문에 생겼다고 해요.

점수 계산   1. 15점   2. 15점   3. 10점   4. 15점   5. 15점   6. 15점   7. 15점

(가) 세계의 인구는 68억 명이 넘습니다. 이제부터는 지구를 딱 100명이 사는 마을로 상상하여 보아요. ㉠이 상상의 마을에서 한 명의 사람은, 실제 세계에서 약 6천 8백만 명을 말하는 거예요.

자, 여기 100명의 사람이 작은 마을에 살고 있습니다. 이 마을 사람들에 대하여 여러 가지를 알아볼까요? 그러면 실제 지구촌의 여러 나라 사람들에 대해서 이해할 수 있게 될 거예요. 그리고 우리의 지구가 맞이하게 될지도 모르는 많은 문제에 대하여 알게 될 거예요.

(나) 지구마을 사람들은 어디에서 왔을까요?

지구마을 사람 100명 가운데 61명은 아시아에서, 14명은 아프리카에서, 11명은 유럽에서, 8명은 남아메리카와 중앙아메리카에서, 5명은 캐나다와 미국에서, 1명은 오세아니아에서 왔습니다.

지구마을 사람의 절반 이상은 인구가 많은 여섯 개의 나라에서 왔지요. 20명은 중국에서, 17명은 인도에서, 5명은 미국에서, 4명은 인도네시아에서, 3명은 브라질에서, 3명은 파키스탄에서 왔습니다. 한국에서 온 사람은 1명이랍니다.

(다) "안녕!", "니하오마!", "헬로!", "나마스테!", "즈드라스트부이체!", "올라!", "아흘란!", "나마스카르!"

마을 사람들이 여러 나라 말로 인사를 나누네요. 지구마을 사람들은 어떤 언어로 말할까요? 지구마을에는 대략 6,000개의 언어가 있다지만, 사람들의 반 이상은 여덟 개의 언어 중에서 하나로 말하지요. 21명은 중국어, 9명은 영어, 9명은 인도어, 7명은 스페인어, 4명은 아랍어, 4명은 벵골어, 3명은 포르투갈어, 3명은 러시아어로 말합니다.

(라) 마을 사람들은 여러 가축을 기릅니다. 가축들은 농사일을 돕기도 하고, 음식의 재료가 되기도 하지요. 마을에는 31마리의 양과 염소, 23마리의 젖소와 황소,

15마리의 돼지, 3마리의 낙타, 2마리의 말, 250마리의 닭이 있어요.

(마) 지구마을에는 지금 100명의 사람이 살고 있습니다. 그럼 옛날에는 몇 명이 살았을까요? 기원전[1] 1000년에는 마을에 단 1명만 살았지요. 기원전 500년에는 2명이 살았어요. 기원후 100년에는 마을에 3명이 살았어요. 2010년에는 지구마을에 100명이 살고 있었답니다. 지구마을 사람들의 인구는 1년에 1.15명씩 늘어나고 있어요. 지금 100명이 있다면 2050년에는 약 250명이 살게 될 거예요.

지구마을이 유지되려면 인구가 250명을 넘어서는 안 된다고 많은 전문가가 말하였어요. 250명이 넘으면 음식이나 집, 그 밖의 생활 자원들이 부족해진다고요.

다행스럽게도 국제연합이나 여러 국가, 민간단체들이 지혜를 모아 지구마을을 살기 좋은 곳으로 가꾸기 위하여 열심히 일하고 있어요. 배불리 먹을 것과 편히 쉴 곳이 있는 지구마을을 만들기 위하여 노력하고 있답니다.

 낱말풀이

❶ 기원전 기원 원년 이전, 주로 예수가 태어난 해를 원년으로 하는 서력기원을 기준으로 부르는 말. 'B.C.'로 표기.

1 글 전체에 걸쳐 중요한 문제로 다루고 있는 것은 무엇입니까? ————— (　　　)

주제찾기

① 식량　　　② 나라　　　③ 언어　　　④ 인구　　　⑤ 환경

2 글의 내용과 잘 어울리도록 제목을 붙여보세요.

제목찾기

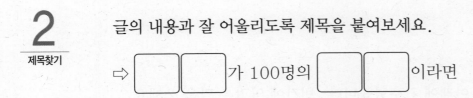

⇨ ☐☐ 가 100명의 ☐☐이라면

3 지구에서 가장 많은 사람들이 살고 있는 곳은 어디입니까? ————— (　　　)

사실이해

① 유럽　　　　　② 아시아　　　　　③ 아프리카

④ 아메리카　　　⑤ 오세아니아

4

미루어알기

글에서 답을 찾을 수 <u>없는</u> 질문은 어느 것입니까? —————————— (　　　)

① 실제로 지구의 인구가 100명이었습니까?

② 인구가 1년에 몇 명이나 늘어나고 있습니까?

③ 지구 인구의 절반 이상은 어디에 삽니까?

④ 지구에서 가장 많은 수의 가축은 무엇입니까?

⑤ 지구 마을에서 가장 많은 사람이 쓰는 언어는 무엇입니까?

5

세부내용

㉠과 같이 말한 까닭은 무엇입니까? —————————— (　　　)

① 실제로 6천 8백만 명이 살고 있기 때문에.

② 68억 명이 10개 대륙에 살고 있기 때문에.

③ 실제의 세계 인구가 68억 명이 넘기 때문에.

④ 우리나라 인구가 약 6천 8백만 명이기 때문에.

⑤ 가상의 지구에 6천 8백만 명이 넘으면 안 되기 때문에.

6

적용하기

이 글에 따르면, 2050년에 실제로 살게 될 지구의 인구수를 셈해 보세요.

(①　　　　　　　　)×6천 8백만 명 = (②　　　　　　　) 명

7

요약하기

글의 중심 내용을 아래에 간추렸습니다. 빈칸에 알맞은 말을 쓰세요.

2050년이 되면 지구가 감당하기 어려울 정도의 인구에 이르게 된다고 합니다. ① ☐☐ 이나 집, 그 밖의 ② ☐☐☐☐ 들이 부족해질 것이라고 해요. 우리 모두 지혜를 모아 지구를 살기 좋은 곳으로 가꾸기 위하여 열심히 노력합시다.

어휘 넓히기

뜻 낱말의 뜻풀이로 알맞은 것을 보기 에서 골라 괄호 안에 기호를 쓰세요.

(1) 먹을거리 (　　　)

(2) 입을거리 (　　　)

(3) 얘깃거리 (　　　)

> **보기**
> ㉠ 먹을 수 있거나 먹을 만한 음식 또는 식품.
> ㉡ 이야기할 만한 재료. 이야깃거리.
> ㉢ 입을 만한 옷을 이르는 말.

다지기 위에서 익힌 낱말을 아래 문장의 빈칸에 넣어 문장을 완성하세요.

(1) 내 친구는 여행에선, ☐☐☐☐ 와 잠자리만 해결하면 끝이라고 말했다.

(2) 옷장에 옷이 가득한데도 ☐☐☐☐ 가 없다며 옷을 사달라고 졸라댔다.

(3) ☐☐☐☐ 가 궁한지 서로 안부만 벌써 10분째 묻고 있다.

넓히기 다음 한자어의 구성과 뜻을 알아보고, 빈칸에 알맞은 한자어를 쓰세요.

> • **부족**(不 아닐 부. 足 발 족.) 필요한 양이나 기준에 미치지 못해 충분하지 아니함.
> • **만족**(滿 찰 만. 足 발 족.) 마음에 흡족함. 모자람이 없이 충분하고 넉넉함.
> • **사족**(蛇 긴 뱀 사. 足 발 족.) 뱀을 다 그리고 나서 있지도 아니한 발을 덧붙여 그려 넣는다는 뜻으로, 쓸데없는 군짓을 하여 도리어 잘못되게 함을 이르는 말.

(1) 엄마에게 그 정도 용돈이면 ☐☐ 한다고 말했지만, 사실은 아니었다.

(2) 이미 완벽한 글이라 더 이상의 ☐☐ 은 필요 없다고 자신했다.

(3) 물 ☐☐ 으로 고통 받는 나라의 아이들에게 도움을 주자는 광고를 봤다.

시간 공부 날짜 ☐ 월 ☐ 일

푸는데 걸린 시간 ☐ 분

확인 맞은 개수 써보기

독해	☐개/7개	어휘	☐개/9개

23

식물의 열매 속에 있는, 장차 싹이 터서 새로운 식물의 몸이 될 단단한 물질을 '씨'라고 해요. 씨는 대개 1년에 한 번 싹을 틔우고 또 다른 씨가 될 열매를 맺어요. 그래서 우리는 이런 규칙을 자연의 이치라고 생각하고 있지요. 그런데 씨앗이 천 년을 넘겨서 싹을 틔운 일이 있었어요. 어떻게 이런 일이 일어날 수 있을까요?

점수 계산 1. 15점 2. 15점 3. 10점 4. 15점 5. 15점 6. 15점 7. 15점

씨는 몇 년 동안이나 살 수 있을까요? 만약, 강낭콩 씨를 접시 위에 올린 후 그냥 놔두었다가 10년 후에 물을 주고 적당한 온도를 유지해 준다면 강낭콩 씨는 싹 틀 수 있을까요? 수천 년 된 씨는 과연 싹을 틔우고 자랄 수 있을까요?

국립수목원에서는 이집트 피라미드에서 발견한 3,300년 전의 완두콩 씨를 가져와 싹을 틔우고 자라게 한 일이 있었습니다. 처음 가져왔을 때는 씨가 심하게 말라 있었지만, 다행히 씨눈이 살아 있어 물을 충분히 주었더니 싹이 트고 자라 열매가 열렸다고 합니다. 3,300년 된 씨가 싹을 틔울 수 있었던 까닭은 피라미드가 저장고 역할을 해 주어 완두콩 씨가 썩지 않았기 때문입니다.

우리나라에서 발견된 오래된 씨로도 싹을 틔운 사례❶가 있습니다. 경상남도 함안군에서 발견한 연꽃 씨는 약 700년 전 고려 시대의 것이었습니다. 함안 박물관에서 씨를 물에 담가 두었더니 싹이 터서 자랐고, 이듬해에는 꽃도 피었습니다. 이 꽃에는 '아리홍련'이라는 예쁜 이름이 붙여졌습니다.

경상남도 창녕군 우포늪에서 가져온 오래된 창포 씨도 실험실에서 싹이 트기에 알맞은 조건으로 맞추어 주었더니 새싹이 돋아나기 시작하였습니다. 실험실 연구원들은 창포 씨가 얼마나 오랫동안 땅속에 묻혀 있었는지 측정하였습니다. 놀랍게도 창포 씨는 무려 1,100년 전의 것이었습니다.

이런 일이 가능한 까닭은 ㉠씨는 조건이 맞지 않으면 싹을 틔우지 않기 때문입니다. 만약 늪지대나 퇴적층❷에서 싹이 트지 않은 매우 오래된 씨를 찾아낼 수 있다면 이미 지구에서 사라진 식물을 되살리는 일도 가능하지 않을까요?

낱말 풀이 ❶ 사례 어떤 일이 전에 실제로 일어난 예. ❷ 퇴적층 퇴적 작용으로 생긴 지층.

1
주제찾기

글의 중심 내용은 어떤 질문에 답한 것이라고 할 수 있습니까? ——————— ( )

① 오래된 씨가 싹을 틔우고 자랄 수 있을까?

② 접시 위에 올려둔 강낭콩이 싹을 틔울 수 있을까?

③ 이집트의 피라미드에서 발견된 씨는 왜 말라버렸을까?

④ 우포늪에서 가져온 창포 씨는 얼마나 오래 되었을까?

⑤ 퇴적층에서 싹이 트지 않은 오래 된 씨가 나올까?

2
제목찾기

빈칸을 채워 글에 알맞은 제목을 붙여 보세요.

☐ 와 ☐	

3
사실이해

글에 나온 내용은 어느 것입니까? ——————————————— ( )

① 강낭콩이 저절로 물기를 머금었다.

② 3300년 된 완두콩 씨는 썩어 있었다.

③ 오래된 창포 씨에서 저절로 싹이 돋았다.

④ 고려 시대에 창포 씨를 저장하는 기술이 있었다.

⑤ 씨눈이 살아있어서 썩지 않은 씨라면 싹을 틔울 수 있다.

4
미루어알기

글을 읽고 떠올린 생각을 한 문장으로 정리해보았습니다. 빈칸에 알맞은 낱말을 쓰세요.

오래 된 씨가 싹을 틔우기 위해서는 ☐☐ 이 살아 있어야 한다.

5 글의 흐름에 맞도록 ㉠을 바르게 고쳐 쓴 것은 어느 것입니까? ─────── (   )

세부내용

① 씨는 조건만 맞으면 대개의 경우 싹을 틔우기 때문입니다.

② 씨는 조건이 맞지 않아서 싹을 틔운 적이 없기 때문입니다.

③ 씨는 조건이 맞더라도 좀처럼 싹을 틔우지 않기 때문입니다.

④ 씨는 조건과 상관없이 싹을 항상 틔울 수 있기 때문입니다.

⑤ 씨는 조건에 따라 싹을 틔울 수도, 않을 수도 있기 때문입니다.

6 글의 전체 내용을 아래의 표로 정리하고자 합니다. 빈칸에 알맞은 낱말을 써서 문장을 완성하세요.

적용하기

오래 된 씨앗을 싹 틔운 사례	오래 된 씨앗을 싹 틔운 방법
이집트 피라미드에서 발견한 완두콩 씨 경상남도 함안군에서 발견한 연꽃 씨	물을 충분히 줬다.
경상남도 창녕군 우포늪에서 가져온 오래된 창포 씨	싹을 틔우기에 ▢▢▢▢▢ 으로 맞추었다.

7 글의 중심 내용을 아래와 같이 간추렸습니다. 빈칸에 알맞은 낱말을 글에서 찾아 쓰세요.

요약하기

> 오래된 씨라도 썩지 않고 씨눈이 살아있으면 충분한 ▢과 알맞은 조건을 맞추어 주어 싹을 틔울 수 있다.

어휘 넓히기

뜻 낱말의 뜻풀이로 알맞은 것을 보기 에서 골라 괄호 안에 기호를 쓰세요.

(1) 강낭콩 (　　　)

(2) 사글세 (　　　)

보기
ㄱ 집이나 방을 다달이 빌려 쓰는 일. 또는 그 돈.
ㄴ 줄기가 덩굴을 이루고 여름에 흰색 또는 자주색 꽃이 피는 콩과 식물.

다지기 아래 문장의 빈칸에 알맞은 낱말을 보기 에서 찾아 쓰세요.

보기
　　　　강낭콩　　　　사글세

(1) 매달 5일이면, 자취방 ☐☐☐ 를 내곤 했다.

(2) 나는 밥에 들어간 ☐☐☐ 을 골라내다가 어머니께 꾸중을 들었다.

넓히기 다음 한자어의 구성과 뜻을 알아보고, 빈칸에 알맞은 한자어를 쓰세요.

- **발견(發** 펼 발. **見** 볼 견.**)하다** 미처 찾아내지 못하였거나 아직 알려지지 아니한 사물이나 현상, 사실 따위를 찾아내다.
- **발생(發** 펼 발. **生** 살 생.**)하다** 어떤 일이나 사물이 생겨나다. 어떤 생물이 단순한 수정란 상태에서 복잡한 개체가 되다.
- **발아(發** 펼 발. **芽** 싹 아.**)하다** 초목의 눈이 트다. 씨앗에서 싹이 트다.

(1) 봄비에 뿌려두었던 씨앗이 ☐☐ 했다.

(2) 탐험가가 아무도 발을 디딘 적이 없는 대륙을 ☐☐ 했다.

(3) 많은 사람이 오가는 도시의 한복판에서 사건이 ☐☐ 했다.

시간 공부 날짜 ☐ 월 ☐ 일
푸는데 걸린 시간 ☐ 분

확인 맞은 개수 써보기

독해	☐ 개 / 7개	어휘	☐ 개 / 7개

24

 사람들이 놀라거나 흥분하여 시끄럽게 법석거리고 떠들어 대는 일을 소동이라고 해요. 여러분 주변에서도 별것 아닌 일로 소동이 일어나 한바탕 웃은 경험이 있는지 생각해보면서 다음 글을 읽어 봐요.

접수계산 1. 15점 2. 10점 3. 15점 4. 15점 5. 15점 6. 15점 7. 15점

"비가 주룩주룩 내리는 캄캄한 밤이었어. 그날도 어김없이 열두 시가 되자 벽시계가 종을 쳤지. 댕, 댕, 댕, 댕……"

나는 이불 속에서 동생에게 무서운 이야기를 해 주고 있었어요. 그런데 갑자기 어디선가 "으악!" 하는 소리가 들렸어요. 이건 진짜 비명 소리였어요. 이어서 우당탕, 와장창! 도대체 무슨 일이 일어난 걸까요?

살금살금 일 층으로 내려가 본 우리는 깜짝 놀랐어요. 엄마는 야구 방망이를 들고 있고, 아빠는 거실 바닥에 쓰러져 있었으니까요.

"엄마, 무슨 일이에요?" / "이 일을 어쩌지? 쥐를 잡으려다가 네 아빠를 잡았나 보다."

바로 그 순간, 아빠가 살짝 눈을 뜨셨어요.

"사실은 소파 뒤에 숨어 있던 쥐와 눈이 마주친 순간 나도 모르게 기절했단다."

그때 할아버지께서 잠이 덜 깬 눈으로 방문을 열고 나오셨어요.

"집 안에 무슨 일이 있냐?" / "할아버지, 쥐가 나왔대요." / "에구머니나!"

할아버지께서는 깜짝 놀라며 얼른 소파 위로 올라가셨어요.

"어이쿠, 나는 세상에서 쥐가 가장 싫다." / 그러자 아빠도 말씀하셨어요.

"저도요." / 엄마는 쥐를 잡기 전에는 도저히 잠을 잘 수 없다고 하셨어요.

'오늘 밤에 당장 잡아야 한다고.'

하지만 내가 먼저 하품을 하였고, 그다음에는 내 동생 딴지가, 그리고 그다음에는 할아버지께서 늘어지게 하품을 하셨어요. / 그때 고모가 살금살금 나타났어요.

"무슨 일 있니?" / "글쎄, 쥐가 나왔어요." / "내가 거의 잡을 뻔했는데……."

할아버지의 말씀에는 관심도 없는 듯 고모는,

"난 또 무슨 일이라고. 뭐 먹을 게 없나?" / 하면서 냉장고만 뒤집니다.

이튿날 아침, 할아버지께서는 가족회의를 열었어요.

㉠"이제부터 쥐와 전쟁을 시작한다! 내가 사령관을 맡으마, 나머지 식구들은 모두 행동 대원이다."

할아버지의 비장한 말씀에 나는 왠지 가슴이 두근거렸어요. 쥐를 잡는 작전 이름은 '독 안에 든 빵 작전'이에요. 할아버지께서는 쥐라는 이름을 직접 부르면 쥐들이 알아들

고 모두 도망간대요. 하지만 빵이라고 부르면 쥐들이 맛있는 빵이 있는 줄 알고 모여든다나요?

아빠는 어느 전쟁에서나 아군끼리만 통하고 적군을 따돌릴 수 있는 암호가 필요하대요. 그래서 우리도 암호를 정하였어요. 쥐가 나타났을 때 '우왕 찍', 쥐가 지나간 자리를 발견하면 '찍', 쥐를 추격하다 놓치면 '찍 쌌다'예요. 작전 개시! 쥐구멍을 찾아라.

우리는 쥐구멍 수색 작전을 시작하였어요. 엄마와 동생은 일 층, 고모는 지하실(지하에 고모 방이 있거든요. 거기를 다른 사람이 뒤지면 절대 안 된대요. 뭐, 중요한 것이라도 숨겨 놓았는지…….) 그리고 아빠는 마당을 살피시겠대요. 마당에 쥐가 파 놓은 쥐구멍이 있을 거라나요. 그러면 나는 어디냐고요? 나는 할아버지와 함께 이 층을 맡았어요. 이 층 천장에서 가끔 이상한 소리가 나거든요.

"집을 들어 올려서라도 쥐 소굴을 찾아내고야 말겠다. 옛날부터 쥐란 녀석들은 마루 밑을 좋아했지, 내가 오늘 쥐 소굴을 꼭 찾고야 말겠다."

엄마는 두 주먹을 불끈 쥐셨어요. 그러고는 마룻바닥에 바짝 귀를 대고 쥐 소리가 나지 않나 귀를 기울이셨어요. 그때 갑자기 아빠가 후닥닥 뛰어들어 오셨어요.

"여보, 어떡하지? 쥐를 만졌어. 쥐를 만졌다고!"

엄마는 아빠를 따라 마당으로 나가셨어요. 그리고 형사처럼 예리한 눈초리로 마당을 이곳저곳 살피더니 아빠에게 물으셨어요.

"여보, 쥐를 만진 게 분명해요?" / "음…… 그게…… 그러니까……."

엄마는 홈통 근처에 떨어진 털 솔을 집어 들며 말씀하셨어요.

"봐요, 혹시 이 털 솔을 잘못 알고……."

"아니, 그건 절대 아냐. 아닐 거야. 아니어야 하는데……."

그럼 그렇지. 아빠가 만진 것은 홈통을 청소하는 털 솔이었어요.

1 가장 강조해서 드러낸 이야기의 요소는 무엇입니까? ———————————— (   )

주제찾기

① 주제　　　　　② 문체　　　　　③ 인물

④ 사건　　　　　⑤ 배경

2 사건을 일으킨 소재를 글에서 찾아 쓰세요.

글감찾기

⇨ ☐

3 솔직하고 적극적인 성격의 인물은 누구입니까? ──────────────── (　　)

사실이해

① 나　　　　　② 엄마　　　　　③ 아빠　　　　④ 고모　　　　⑤ 할아버지

4 ㉠으로 미루어본 할아버지의 성격은 어떠합니까? ──────────────── (　　)

미루어알기

① 어질다　　　　　　② 너그럽다　　　　　　③ 소심하다

④ 무심하다　　　　　⑤ 허풍스럽다

5 이야기를 전달하는 사람에 대한 설명으로 알맞은 것은 어느 것입니까? ──────── (　　)

세부내용

① 등장인물이다.　　　　　　　　② 작품의 바깥에 있다.

③ 등장인물이면서 관찰하고 있다.　　④ 작품의 밖에서 관찰하고 있다.

⑤ 작품의 안팎을 오가면서 관찰과 간섭을 한다.

6 이야기를 역할극 대본으로 바꾸어 써보았습니다. 빈칸에 알맞은 낱말을 쓰세요.

적용하기

이야기	역할극 대본
엄마는 형사처럼 예리한 눈초리로 마당을 이곳저곳 살피더니 아빠에게 물으셨어요. "여보, 쥐를 만진 게 분명해요?"	때 : 아침 / 곳 : ① ☐☐ ② ☐☐ : (아빠를 따라 나와 예리한 눈초리로 마당을 이곳저곳 살핀 뒤, 의심스러운 목소리로) 여보, 쥐를 만진 게 분명해요?

⇨

7 인물의 말이나 행동을 보고 성격을 판단해 보려고 합니다. 빈칸을 채워 보세요.

요약하기

인물	말이나 행동	성격
엄마	"집을 들어 올려서라도 쥐 소굴을 찾아 내고야 말겠다."	활달하다. ① ☐☐☐이다.
아빠	(쥐가 나왔다는 엄마의 말에) 아빠는 거실 바닥에 쓰러졌어요.	소심하고 ② ☐이 많다.
할아버지	"이제부터 쥐와 ③ ☐☐을 시작한다! 내가 사령관을 맡으마."	활동적이고 허풍스럽다.

어휘 넓히기

뜻 낱말의 뜻풀이로 알맞은 것을 보기 에서 골라 괄호 안에 기호를 쓰세요.

(1) 주룩주룩 (　　　)

(2) 살금살금 (　　　)

보기
> ㉠ 남이 알아차리지 못하도록 눈치를 살펴 가면서 살며시 행동하는 모양.
> ㉡ 굵은 물줄기나 빗물 따위가 빠르게 자꾸 흐르거나 내리는 소리나 모양.

다지기 위에서 알맞은 낱말을 골라 아래 문장의 빈칸을 채우세요.

(1) 도둑고양이의 걸음으로 ☐☐☐☐ 그림자의 뒤를 밟기 시작했다.

(2) 갑자기 구름이 잔뜩 끼더니 장대비가 ☐☐☐☐ 내리기 시작했다.

해설편 12쪽

넓히기 다음 한자어의 구성과 뜻을 알아보고, 빈칸에 알맞은 한자어를 쓰세요.

> • **아군(**我 나 아. 軍 군사 군.**)** 우리 편 군대나 군사. 운동 경기 따위에서, 우리 편을 비유적으로 이르는 말.
> • **적군(**敵 대적할 적. 軍 군사 군.**)** 적의 군대나 군사. 운동 경기나 시합 따위에서 상대편을 이르는 말.
> • **해군(**海 바다 해. 軍 군사 군.**)** 주로 바다에서 공격과 방어의 임무를 수행하는 군대.

(1) 도망치다가 ☐☐에게 포로로 붙잡혔다.

(2) 우리나라의 국군은 육군, ☐☐, 공군으로 구성되어 있다.

(3) 사진 속에서 흰 모자를 쓴 사람이 ☐☐이다.

 시간　공부 날짜 ☐ 월 ☐ 일

푸는데 걸린 시간 ☐ 분

 확인　맞은 개수 써보기

| 독해 | ☐ 개/7개 | 어휘 | ☐ 개/7개 |

1. 15점   2. 10점   3. 15점   4. 15점   5. 15점   6. 15점   7. 15점

작은 누나가 엄마보고
엄마 런닝구❶ 다 ㉠떨어졌다.
한 개 사라 한다.
엄마는 옷 입으마 안 보인다고
떨어졌는 걸 그대로 입는다.

런닝구 구멍이 콩만 하게
뚫어져 있는 줄 알았는데
대지비만 하게 뚫어져 있다.
아버지는 그걸 보고
런닝구를 쭉쭉 쨌다❷.

엄마는
와 이카노.
너무 째마 걸레도 못 한다 한다.
엄마는 새 걸로 갈아입고
두 번 더 입을 수 있을 낀데 한다.

---

❶ 런닝구 런닝셔츠(running shirts)의 비표준어. 런닝셔츠는 운동 경기를 할때, 선수들이 입는 소매없는 셔츠 또는 그런 모양
의 속옷. ❷ 째다 물건을 찢거나 베어 가르다

1

주제찾기

강조해서 전달하고자 한 내용은 무엇입니까? ──────────────── (   )

① 가난의 고통

② 가난한 삶과 옷

③ 가난 속에서 느낀 행복

④ 가난을 이겨내는 슬기로움

⑤ 가난 속에 피어난 가족사랑

2

글감찾기

가장 자주 사용된 낱말을 찾아 쓰세요.

⇨ ☐ ☐ ☐

3

사실이해

작품에서 어떤 지역의 사투리가 사용되었습니까? ──────────────── (   )

① 경기도

② 경상도

③ 충청도

④ 전라도

⑤ 제주도

4

미루어알기

시에서 말하는 사람에 대한 설명으로 알맞은 것은 어느 것입니까? ────── (   )

① 관찰한 장면을 그리고 있다.

② 느낌을 자세히 나열하고 있다.

③ 생각의 깊이를 더해가며 말하고 있다.

④ 다른 사람과 대화를 하고 있다.

⑤ 스스로에 대해 반성하고 있다.

5

세부내용

㉠과 같은 쓰임새의 '떨어지다'가 나타난 문장은 어느 것입니까? ────── (   )

① 경기가 불황이라 우리 공장도 일감이 떨어졌다.

② 누나에게 한소리를 듣고나니 입맛이 떨어졌다.

③ 아이가 기어다녀서 무릎이 금방 떨어졌다.

④ 고생을 하고서야 겨우 감기가 떨어졌다.

⑤ 한참 있으니 사과나무에서 사과가 떨어졌다.

6

적용하기

시에서 등장한 다음 낱말들을 표준어로 바꾸어 쓰세요.

(1) 입으마 → (   )

(2) 대지비 → (   )

(3) 이카노 → (   )

7

요약하기

이 시의 감상을 한 문장으로 정리해 보았습니다. 빈칸에 알맞은 낱말을 써보세요.

┌───┐
│　　□□의 구멍난 속옷을 본 □□□가 엄마가 그 속옷을│
│　다시는 입지 못하게 찢는 장면에서, 넉넉지 않은 삶 속에서도 피어나는│
│　□□의 사랑을 느낄 수 있습니다.│
└───┘

어휘 넓히기

뜻 낱말의 뜻풀이로 알맞은 것을 보기 에서 골라 괄호 안에 기호를 쓰세요.

(1) 떨어지다 (　　) 　보기　ㄱ 구멍이나 틈이 생기다. 길이 통하여지다.
(2) 뚫어지다 (　　) 　　　ㄴ 옷이나 신발 따위가 해어져서 못쓰게 되다.

다지기 보기 의 낱말을 골라 아래 문장의 빈칸을 채우세요.

　보기
떨어진　　뚫어진

(1) 형편이 어려운 것도 아닌데 너덜너덜하게 □□□ 옷을 입고 다닌다.

(2) 판자 울타리의 □□□ 구멍 사이로 흘러가는 강물이 보인다.

5주 25회

해설편 13쪽

넓히기 다음 한자어의 구성과 뜻을 알아보고, 빈칸에 알맞은 한자어를 쓰세요.

- **가족(家** 집 가. **族** 겨레 족.) 한집에 사는 피붙이, 겨레 또는 그와 같다고 인정하는 사람들의 모임. 또는 그렇게 모인 사람들.
- **인정(人** 사람 인. **情** 마음 정.) 동정하고 사랑하는 따뜻한 마음. 사람이 본래 가지고 있는 감정이나 심정.

(1) 추석이면 멀리 살고 있는 □□ 까지 모두 모여 차례를 지내고 성묘도 한다.

(2) 불쌍한 사람을 보아도 못 본 척한다면 □□ 이 없는 사람이라 할 수 있다.

시간 공부 날짜 □ 월 □ 일
푸는데 걸린 시간 □ 분

확인 맞은 개수 써보기
| 독해 | □ 개/7개 | 어휘 | □ 개/6개 |

어휘·어법 총정리

어휘 보기의 낱말을 보고, 뜻과 어울리는 것을 골라 아래의 빈칸에 써보세요.

보기	사례　천장　어김없이　사글세　발아　떨어지다

1. 초목의 눈이 트다. 씨앗에서 싹이 트다. ☐

2. 어떤 일이 전에 실제로 일어난 예. ☐

3. 옷이나 신발 따위가 해어져서 못쓰게 되다. ☐

4. 건축 지붕의 안쪽이나 상층의 바닥을 감추기 위하여 그 밑에 설치한 덮개. ☐

5. 집이나 방을 다달이 빌려 쓰는 일. 또는 그 돈. ☐

6. 어긋남 없이 실제로. 또는 반드시 그러하게. ☐

어법 다음 중 맞춤법에 맞는 것을 골라 동그라미 하세요.

1. 우뚝 [솟은 / 솟은] 산봉우리.

2. [겪게 / 격게]될 어려움.

3. 간신히 끼니를 [있다 / 잇다].

4. [굶주리는 / 굼주리는] 날이 많았다.

5. [먹을꺼리 / 먹을거리]가 없다.

6. 씨가 싹을 [틔웠다 / 틔었다].

7. [늪 / 늡]에 연꽃이 피었다.

8. 오랫동안 [묻혀 / 뭍혀] 있었다.

9. [강남콩 / 강낭콩]을 골라냈다.

10. [이튼날 / 이틀날] 편지가 왔다.

확인 나의 점수 확인하기

어휘	개 / 6개	어법	개 / 10개

6주차

회차 / 영역	제목	계획 및 점검
26 인문|주장의 글	**경준이 반의 학급 회의** • 나는 ☐월 ☐일 ☐시에 공부할 것입니다.	• 독해력에서 나의 점수는 ☐점입니다. • 어휘력에서 맞은 문제수는 ☐개 / 8개 입니다. • 어려웠던 문제는 _____ 번입니다.
27 사회|설명문	**생산에 필요한 삼총사** • 나는 ☐월 ☐일 ☐시에 공부할 것입니다.	• 독해력에서 나의 점수는 ☐점입니다. • 어휘력에서 맞은 문제수는 ☐개 / 9개 입니다. • 어려웠던 문제는 _____ 번입니다.
28 과학|설명문	**우유의 다양한 변신** • 나는 ☐월 ☐일 ☐시에 공부할 것입니다.	• 독해력에서 나의 점수는 ☐점입니다. • 어휘력에서 맞은 문제수는 ☐개 / 9개 입니다. • 어려웠던 문제는 _____ 번입니다.
29 산문문학|이야기	**울보 바보 이야기** • 나는 ☐월 ☐일 ☐시에 공부할 것입니다.	• 독해력에서 나의 점수는 ☐점입니다. • 어휘력에서 맞은 문제수는 ☐개 / 9개 입니다. • 어려웠던 문제는 _____ 번입니다.
30 운문문학|시	**그 아이** • 나는 ☐월 ☐일 ☐시에 공부할 것입니다.	• 독해력에서 나의 점수는 ☐점입니다. • 어휘력에서 맞은 문제수는 ☐개 / 7개 입니다. • 어려웠던 문제는 _____ 번입니다.

• 이번 주 독해력 문제에서 나의 점수는 평균 ☐점입니다.

• 이번 주 어휘력에서 맞은 문제수는 모두 ☐개입니다.

26

 설명하는 글이 어떤 사실이나 물건을 알기쉽게 풀어서 읽는 사람이 이해하도록 하는 글이라면, 설득하는 글은 자신의 주장을 말하고, 주장하는 까닭을 말하여 듣는 사람이 그 주장에 따라오게 하려는 글이예요. 그러므로 주장을 뒷받침할 만한 까닭이 중요해요. 아래 글에서 주장과 까닭을 어떻게 말하는지 살펴봐요.

점수 계산 1. 15점 2. 10점 3. 15점 4. 15점 5. 15점 6. 15점 7. 15점

(가) 사회자 : 지금부터 우리 반에서 자리를 어떻게 정할지에 대한 회의를 시작하겠습니다. 의견이 있는 분은 발표하여 주십시오. 네, 김경준 학생 발표하여 주십시오.

김경준 : 저는 키순으로 자리를 정하고, 한 달에 한 번씩 자리를 바꾸는 것이 좋겠습니다. 키가 큰 사람이 뒤에 앉고, 작은 사람이 앞에 앉으면 공부 시간에 선생님을 잘 볼 수 있습니다. 그리고 앞사람 때문에 칠판 글씨가 안 보이는 일도 없습니다. 그런데 키순으로 앉으면 시력이 나쁜 친구들이 뒤에 앉게 되는 경우도 있고, 키가 작은 학생은 항상 앞에만 앉아야 하는 문제도 있습니다. 그래서 키 순서대로 자리를 정하되, 한 달에 한 번 정도 자리를 바꾸어서, 한 사람이 같은 자리에 계속 앉지 않도록 해 주면 좋겠습니다. 눈이 나쁜 친구들도 배려해서 앞으로 옮겨 주면 됩니다.

사회자 : 다른 의견 있는 분은 발표하여 주십시오. 네, 강수빈 학생 발표하여 주십시오.

강수빈 : 저는 좋아하는 친구끼리 자유롭게 자리를 정하여 앉으면 좋겠습니다. 좋아하는 친구끼리 자리를 정하면 여러 가지 좋은 점이 있습니다. 우선 짝끼리 협동이 잘되어 공부 시간이 즐거워집니다. 그리고 마음이 잘 맞아서 싸우는 일도 없어집니다. 좋아하는 사람끼리 짝을 정하고 모둠을 만들어 앉으면 모두가 즐거운 학급이 될 것입니다.

사회자 : 다른 의견이 없으면 어떤 방법으로 자리를 정할지 결정하겠습니다. 먼저 키순으로 자리를 정하고, 한 달에 한 번씩 자리를 바꾸자는 의견에 찬성하는 친구는 손들어 주십시오. (잠시 뒤) 모두 8명이 찬성하였습니다. 다음으로 좋아하는 친구끼리 자유롭게 앉으면 좋겠다는 의견에 찬성하는 분은 손들어 주십시오. (잠시 뒤) 모두 17명이 찬성하였습니다. 결과를 정리하면, 다음 주부터 우리 반은 좋아하는 친구끼리 자유롭게 자리를 정하여 앉는 것으로 결정되었습니다. 회의에서 결정된 내용을 잘 지켜 주시기 바랍니다. 이상으로 회의를 마칩니다. 감사합니다.

(나) 사회자 : 안녕하십니까? 지난주 학급 회의에서 결정하였던 좋아하는 친구끼리 자리에 앉는 것에 ㉠여러 가지 문제점이 있어서 다시 회의를 열게 되었습니다. 많은 친구가 찬성하여 결정된 일이지만, 그것에 대하여 불편해하는 친구들이 많았으므로 다시

신중하게 생각하고 의견을 말씀하여 주십시오. 네, 박승현 학생 말씀하여 주십시오.

박승현 : 저는 학급 번호 순서대로 자리를 앉으면 좋겠습니다. 번호 순서대로 자리를 정하여 앉고, 일주일에 한 번씩 한 줄씩 자리를 옮겨 앉으면 좋겠습니다. 그러면 좋아하는 친구끼리만 앉지 않고, 여러 친구와 함께 골고루 짝을 할 수 있어서 좋습니다. 친구와 장난을 치지 않아 수업 분위기도 좋아질 것입니다.

사회자 : 다른 의견 말씀하여 주십시오. 네, 김지언 학생 말씀하여 주십시오.

김지언 : 저는 아침에 일찍 오는 순으로 자리를 정하여 앉으면 좋겠습니다. 일찍 오는 사람이 앉고 싶은 자리에 앉는다면 아침에 지각하는 사람도 없어지고, 부지런하게 학교생활을 할 수 있을 것입니다. 자기가 좋아하는 자리에 앉을 수 있어서 공부도 즐겁게 할 수 있습니다.

사회자 : 지난번처럼 성급하게 의견을 정하여 실수하지 않도록 신중하게 의견을 들어보겠습니다. 지금까지 나온 의견에 대한 생각이나 ⓛ다른 의견이 있으면 말씀하여 주십시오.

1 회의의 의제를 글에서 찾아 쓰세요.
주제찾기

(   )

해설편 13쪽

2 (가), (나)는 무엇을 하면서 있었던 일을 정리한 것입니까?
글감찾기

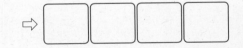

3 (가)에서 의견을 결정한 방법은 무엇입니까? ────────── (   )
사실이해

① 선생님이 결정했다.   ② 다수결 원칙에 따랐다.

③ 처음 발표한 의견을 선택했다.   ④ 가장 나중에 발표한 의견을 따랐다.

⑤ 발표한 의견들 중에서 사회자가 골랐다.

4 미루어알기 ⊙을 해결하기 위해 최선의 의견을 이끌어내기 위한 말하기의 방식을 한 낱말로 쓰세요.

(   )

5 세부내용 ⓛ으로 적당한 것은 어느 것입니까? ──────────────────── (   )

① 학급 번호 순서대로 앉자.

② 아침에 일찍 오는 순서대로 앉자.

③ 남자는 남자끼리, 여자는 여자끼리 앉자.

④ 좋아하는 친구끼리 자유롭게 모둠을 정해 앉자.

⑤ 키순으로 자리를 정하고, 달마다 한 번씩 자리를 바꾸자.

6 적용하기 사회자의 역할로 볼 수 <u>없는</u> 것은 어느 것입니까? ────────── (   )

① 회의 주제를 알려준다.

② 의견 발표자를 지명해준다.

③ 발표한 의견을 정리하여 알려준다.

④ 결정된 의견에 대해 느낌을 말해준다.

⑤ 회의를 하게 된 이유와 주의할 점을 말한다.

7 요약하기 (가)에서 의견과 근거를 발표자에 따라 아래의 표로 정리했습니다. 빈칸에 알맞은 낱말을 쓰세요.

	김경준	강수빈
의견	① ☐☐ 으로 자리를 정하고, 한 달마다 자리를 바꾸자.	좋아하는 친구와 ③ ☐☐ ☐☐ 앉자.
근거	공부 시간에 ② ☐☐☐ 을 잘 볼 수 있다. 칠판 글씨를 잘 볼 수 있다. 여러 친구와 짝을 할 수 있다.	공부 시간이 즐거워진다. 싸우는 일도 없어진다. 모두가 ④ ☐☐☐ 학급이 된다.

어휘학습

뜻 낱말의 뜻풀이로 알맞은 것을 보기 에서 골라 괄호 안에 기호를 쓰세요.

(1) 않는 ( )

(2) 않은 ( )

보기
ㄱ '아니한'의 준말. '과거에 어떤 일을 하지 아니한'이라는 뜻. 앞말의 뜻하는 상태를 부정하는 말.

ㄴ '아니하는'의 준말. '현재에 어떤 일을 하지 아니하고 있는'이라는 뜻.

다지기 위에서 낱말을 골라 아래 문장의 빈칸을 채우세요.

(1) 자신이 하지 ☐☐ 일을 했다고 할 수는 없다.

(2) 지금 이 자리에서 진실을 말하지 ☐☐ 사람은 거짓말쟁이이다.

(3) 옳지 ☐☐ 일인 줄 알면서 입을 다물고 편하게 살려고 한다.

넓히기 다음 한자어의 구성과 뜻을 알아보고, 빈칸에 알맞은 한자어를 쓰세요.

- **발표(發** 펼 발. **表** 드러낼 표.) 어떤 사실이나 결과, 작품 따위를 세상에 널리 드러내어 알림.
- **토의(討** 칠 토. **議** 의논할 의.) 어떤 문제에 대해 최선의 해결 방안을 마련하기 위해 서로 의견을 주고 받음.
- **회의(會** 모일 회. **議** 의논할 의.) 여럿이 모여 의논함. 또는 그런 모임.

(1) 한강 오염 문제의 해결 방안을 ☐☐ 하다.

(2) 학자들이 함께 이루어낸 연구의 결과를 ☐☐ 하다.

(3) 학급의 새 반장을 뽑기 위해 ☐☐ 하다.

시간

공부 날짜 ☐ 월 ☐ 일

푸는데 걸린 시간 ☐ 분

확인 맞은 개수 써보기

독해	☐ 개/7개	어휘	☐ 개/8개

27

사람이 살아가는 데 필요한 재화나 용역을 만들고(생산)·나누어주고(분배)·쓰는(소비) 모든 활동. 또는 그것을 통하여 이루어지는 사회적 관계를 연구하는 학문이 경제학이에요. 그래서 '재화 (사람이 바라는 바를 만족시켜 주는 모든 물건)'와 용역(생산과 소비에 필요한 노력의 제공)'이라는 어려운 말도 나와요. 다음 글에서는 '생산'과 관련된 내용을 살펴보도록 해요.

점수 계산   1. 15점   2. 15점   3. 15점   4. 10점   5. 15점   6. 15점   7. 15점

농부가 농사를 지으려면 대체 무엇무엇이 필요할까요? 농사지을 수 있는 땅, 농기구, 비료, 배추 씨앗, 배추 농사를 지을 수 있는 능력과 기술을 가진 농부가 필요해요. 참치 통조림 공장에서 ㉠참치 통조림을 생산할 때에도 공장 건물을 지을 땅, 참치, 식용유, 통조림 만드는 기계, 전기, 그리고 참치 통조림 공장에서 일할 근로자가 필요하지요. 항공사에서 비행기를 이용하는 손님들에게 서비스를 제공하기 위해서도 사무실을 지을 땅, 비행기, 비행기 연료, 비행기 조종사, 비행기 승무원 등이 필요해요.

이렇게 생산 활동을 하기 위해 필요한 것들이 있습니다. 생산하기 위해 필요한 생산 요소, 이를 조금 어려운 말로 토지, 자본, 노동이라고 해요. 이 세 가지를 생산의 삼총사, 즉 생산의 3요소라고 하지요.

토지는 말 그대로 (㉡)이에요. 농사를 짓기 위해서 농지가 필요하고, 참치 통조림 공장과 항공사를 짓기 위해 공장 터와 회사 터가 필요하지요.

자본은 생산 활동을 하는 데 필요한 재료, 기계, 시설 등이나 그것들을 마련하는 데 들어가는 (㉢)을 말해요. 배추 농사를 지을 때 필요한 씨앗, 농기구, 비료나 농사를 지을 수 있는 농지를 사는 데 드는 돈 등이 자본에 속해요. 참치 통조림 공장의 경우 기계나 시설, 전기 등이나 이들을 사는 데 드는 돈이 자본에 속하지요. 항공회사에서는 비행기, 연료 등이나 이들을 사는 데 드는 돈이 자본에 속해요.

노동은 사람들의 생활에 필요한 물건을 만들어 내거나 생활을 편리하고 즐겁게 해 주는 활동을 하는 데 필요한 사람의 (㉣)을 말해요. 몸을 이용하여 일하는 육체노동, 특별한 기술을 이용해 일하는 기술 노동, 머리를 써서 일하는 정신노동 등을 말합니다.

1 글의 주제문으로 알맞은 것은 어느 것입니까? ──────── ( )

주제찾기

① 농사를 지으려면 땅이 필요하다.

② 농사는 힘과 기술을 가진 농부가 짓는다.

③ 항공사에는 비행기 승무원이 있어야 한다.

④ 생산 활동을 위해 토지, 자본, 노동이 필요하다.

⑤ 통조림 공장에서는 기계나 시설, 연료 등이 필요하다.

2 글에서 설명하고자 한 것이 무엇인지 찾아 쓰세요.

글감찾기

3 글의 내용과 맞지 <u>않은</u> 것은 어느 것입니까? ──────── ( )

사실이해

① 농사를 짓기 위해 땅이 필요하다.

② 공장을 돌리기 위해 전기가 필요하다.

③ 항공사에서는 비행기 승무원이 필요하다.

④ 배추 농사를 지을 때 씨앗은 노동에 속한다.

⑤ 노동을 할 때 몸, 기술, 머리를 이용할 수 있다.

4 ㉠과 그 성질이 다른 생산 활동 하나는 어느 것입니까? ──────── ( )

미루어알기

① 신발을 만드는 일

② 물감을 만드는 일

③ 관광 안내를 해 주는 일

④ 휴대 전화기를 만드는 일

⑤ 아이스크림을 만드는 일

5 **세부내용**

글에서 중심 내용을 펼쳐나간 방법은 어느 것입니까? ────────────── (　　)

① 글감이 가리키는 것이 무엇인지 밝혔다.

② 글감의 뜻이 무엇인지 알기 쉽게 풀었다.

③ 글감과 뜻의 차이가 있는 다른 글감을 들었다.

④ 글감이 만들어지는 순서를 따라가며 내용을 펼쳤다.

⑤ 글감의 뜻을 밝히고, 그 종류를 나누어 자세히 설명했다.

6 **적용하기**

아래의 '가은이 아빠'가 다니는 회사에서 비교적 필요하지 <u>않은</u> 생산의 요소는 무엇인지 글에 있는 낱말로 답하세요.

> 컴퓨터를 활용해서 게임을 만드는 회사에 다니는 '가은이 아빠'는 일주일에 하루만 회사에 직접 출근하고, 일은 대개 집에서 합니다. 게임 프로그램을 만드는 일은 굳이 회사에 모여서 하지 않아도 되고, 어떤 경우에는 혼자 궁리하여 좋은 결과가 나오기도 하니까요.

(　　　　　　　　)

7 **요약하기**

㉡, ㉢, ㉣에 들어갈 순우리말을 본문에서 찾아 순서대로 쓰세요.

(　　　　　　　　)

어휘학습

뜻 낱말의 뜻풀이로 알맞은 것을 보기 에서 골라 괄호 안에 기호를 쓰세요.

(1) 짓다 　(　)

(2) 벌다 　(　)

(3) 만들다 (　)

보기
㉠ 노력이나 기술 따위를 들여 목적하는 사물을 이루다.
㉡ 일을 하여 돈 따위를 얻거나 모으다.
㉢ 재료를 들여 밥, 옷, 집 따위를 만들다.

다지기 아래 문장의 들어갈 말을 보기 에서 찾아 쓰세요.

보기
벌기　　만들기　　짓기

(1) 농사를 [　][　] 위해서는 땅이 필요하다.

(2) 돈을 [　][　] 위해서는 일을 해야한다.

(3) 물건을 [　][　][　] 위해서는 재료가 있어야 한다.

넓히기 다음 한자어의 구성과 뜻을 알아보고, 빈칸에 알맞은 한자어를 쓰세요.

- **토지(土** 흙 토. **地** 땅 지.**)** 농사를 짓거나 살집 따위의 사람의 생활과 활동에 이용하는 땅.
- **노동(勞** 힘쓸 노. **動** 움직일 동.**)** 생활에 필요한 물건을 얻기 위하여 몸이나 정신의 노력을 들이는 행위.
- **자본(資** 바탕 자. **本** 뿌리 본.**)** 상품을 만드는 데 필요한 생산 수단이나 노동력을 통틀어 이르는 말.

(1) 생산 활동을 하는 데 필요한 재료, 기계, 시설 등은 [　][　]에 속해요.

(2) 농사를 짓거나 공장을 지을 땅이나 터를 [　][　]라고 해요.

(3) 물건을 만들어내는 데 필요한 사람의 노력을 [　][　]이라고 해요.

6주 27회 해설편 14쪽

시간 공부 날짜 [　] 월 [　] 일

푸는데 걸린 시간 [　] 분

확인 맞은 개수 써보기

독해	[　] 개/7개	어휘	[　] 개/9개

여러분은 치즈를 좋아하나요? 생크림은요? 버터를 녹여 식빵을 구우면 참 고소하지 않나요? 치즈, 생크림, 버터를 우유로 만든다는 것을 알고 있었나요? 다음 글을 읽고 이런 제품들이 어떻게 만들어지는지 알아보도록 해요.

 1. 10점 2. 15점 3. 15점 4. 15점 5. 15점 6. 15점 7. 15점

우유 제품을 살 때 어떤 제품을 사야 할지 고민하여 본 적이 있나요? 요즈음 우유 제품은 일반 우유, 가공 우유, 우유 가공품 등으로 다양하게 만들어져 판매되고 있습니다. 젖소에서 얻은 우유를 어떻게 다양한 종류의 우유 제품으로 변화시킬 수 있는 것일까요?

저지방 우유는 일반 우유보다 지방의 양이 적습니다. 칼슘 우유는 우유에 칼슘 성분을 첨가하여 만듭니다. 이처럼 순수한 액체처럼 보이는 우유도 다양한 물질을 포함하고 있는 혼합물입니다. 두 가지 이상의 다양한 물질이 서로 섞여 있는 것입니다. 혼합물의 특성상 여러 가지 물질을 섞어도 각 물질의 성질은 변하지 않기 때문에 (㉠   ) 수 있습니다.

생크림, 버터, 치즈와 같은 가공품도 우유로 만든 음식입니다. 우유에서 지방을 분리하여 만든 것이 생크림과 버터입니다. 생크림은 우유에서 유지방이 많이 포함된 크림 부분을 분리하여 만들고, 버터는 이 크림을 세게 휘저어 엉기게 한 뒤에 굳혀서 만듭니다.

우유에서 단백질❶을 분리하여 만든 것이 치즈입니다. 치즈의 유래는 4,000년 전으로 거슬러 올라갑니다. 아라비아 상인이 사막을 횡단하면서 양의 위로 만든 주머니에 염소젖을 넣어두었답니다. 하루가 지나 열어보니 염소젖이 끈적이는 하얀색 덩어리로 변한 것을 발견하였습니다. 태양열❷로 따뜻해진 염소젖이 유산균에 의해 치즈로 만들어진 것입니다.

 ❶ 단백질 세포를 구성하고 생체 내 물질 대사의 촉매 작용을 하여, 생명현상을 유지하는 물질로서, 사람의 3대 영양소 가운데 하나이다. ❷ 태양열 태양에서 나와 지구에 도달하는 열. 대기나 구름에 의한 흡수와 산란 따위로 지구표면에 도달하는 열의 양은 실제 태양이 내는 열에 비하여 매우 적다.

1

주제찾기

글의 중심 내용은 무엇입니까? ────────────── ( )

① 우유 제품의 생산

② 여러 가지의 우유 제품

③ 저지방 우유의 성분

④ 우유에 섞여 있는 혼합물

⑤ 가공 우유 제조 방법

2

글감찾기

무엇을 설명한 글인지 아래의 빈칸을 채워 답하세요.

⇨ ☐ ☐ ☐ ☐

3

사실이해

글에 나타난 내용으로 알맞은 것은 어느 것입니까? ─────── ( )

① 우유는 단백질이다.

② 우유는 혼합물이다.

③ 모든 우유는 가공품이다.

④ 가공 전의 우유에는 칼슘이 없다.

⑤ 가공 전의 우유에는 지방이 없다.

4

미루어알기

글을 읽고 떠올린 생각으로 알맞은 것은 어느 것입니까? ────── ( )

① 우유 제품은 모두 우유 가공품이다.

② 시간이 흐르면 저절로 우유가 가공된다.

③ 혼합물을 만들면 각 물질의 성질이 변화한다.

④ 우유에서 지방을 떼 내어 버리고 생크림을 만든다.

⑤ 우연히 만들어진 치즈는 우유를 발효시킨 가공 식품이다.

5

세부내용

㉠에 들어갈 말을 짜 맞출 때 필요하지 <u>않은</u> 낱말은 무엇인가요? ································ (   )

① 원래

② 물질

③ 되돌리다

④ 읽다

⑤ 놓다

6

적용하기

다음 빈칸에 알맞은 말을 글에서 찾아서 쓰세요.

> 비만이 여러 질병의 원인이 되고, 건강한 삶을 위협한다는 인식이 높아짐에 따라, 우유도 변화하고 있다. 우유의 당을 없애거나, 우유에서 지방을 없애거나, 지방량을 낮추는 등의 여러 우유 제품이 생산되고 있다. 이런 우유를 ☐☐ 우유라고 한다.

7

요약하기

빈칸에 알맞은 우유 가공품의 종류를 글에서 찾아 쓰세요.

(1) 우유에서 지방을 분리해 만듦 → ☐☐ , 생크림

(2) 우유에서 단백질을 분리해 만듦 → ☐☐

어휘학습

뜻 낱말의 뜻풀이로 알맞은 것을 보기 에서 골라 괄호 안에 기호를 쓰세요.

(1) 굳히다 (　　　)

(2) 녹이다 (　　　)

(3) 밝히다 (　　　)

보기

㉠ 무른 물질을 단단하게 하다.

㉡ 불빛 따위로 어두운 곳을 환하게 하다. 진리, 옳고 그름을 판단하여 드러내 알리다.

㉢ 고체를 열기나 습기로 물러지거나 물처럼 되게 하다.

다지기 아래 문장의 빈칸에 들어갈 낱말을 보기 에서 찾아 쓰세요.

보기

굳혀서　　　녹여서　　　밝히는

(1) 사고의 원인을 □□□ 작업은 더디게 진행되었다.

(2) 버터는 크림을 엉기게 한 뒤에 □□□ 만듭니다.

(3) 용광로에서 쇠를 □□□ 쇳물을 만든 다음 솥을 만들 수 있습니다.

넓히기 다음 한자어의 구성과 뜻을 알아보고, 빈칸에 알맞은 한자어를 쓰세요.

- **가공(加** 더할 가. **工** 일 공.) 원자재나 반제품을 인공적으로 처리하여 새로운 제품을 만들거나 제품의 질을 높임.
- **첨가(添** 더할 첨. **加** 더할 가.) 이미 있는 것에 덧붙이거나 보탬.
- **가감(加** 더할 가. **減** 덜 감.) 더하거나 빼는 일. 또는 그렇게 하여 알맞게 맞추는 일. 덧셈과 뺄셈을 아울러 이르는 말.

(1) 이 요거트엔 어떤 □□ 물도 넣지 않았다고 광고하고 있다.

(2) 신문기사가 진짜 사실만 □□ 없이 전달한다면 좋겠다.

(3) 누나는 복숭아를 □□ 해서 만든 통조림을 좋아했다.

시간 공부 날짜 □ 월 □ 일

푸는데 걸린 시간 □ 분

확인 맞은 개수 써보기

| 독해 | □ 개／7개 | 어휘 | □ 개／9개 |

사람의 말이나 행동은 큰 힘을 지니고 있어요. 이야기에 나오는 말이나 행동도 큰 힘을 지녀요. 이야기에서 말이나 행동이 기적을 일으키기도 해요. 말이나 행동에 어떤 뜻이 담겨 있기에 이런 힘을 발휘하게 되는지 이 이야기를 읽으면서 함께 알아봐요.

점수 계산 1. 15점 2. 15점 3. 10점 4. 15점 5. 15점 6. 15점 7. 15점

옛날 어느 마을에 무서운 병이 돌았대. 무슨 병인데 그렇게 무섭냐고? 음, 그런 병이 있어. ㉠눈알은 빨갛게 달아오르는데 가슴은 얼음덩이처럼 꽁꽁 얼어붙는 병, 그래서 서로 쳐다보기도 싫어하고 이야기도 안 나누고 누가 곁에 오기만 해도 싫어서 몸서리가 나는 병인데, 이 돌림병이 온 마을을 덮친 거야.

이렇게 되자 마을에서 가장 나이가 많아서 마을 어르신 노릇을 하고 있는 할아버지가 사람들 마음을 녹일 수 있는 약을 찾아 나서신 거지.

새벽에 일어나 문밖을 나서는데, 노새 한 마리와 반딧불이 하나가 따라나서.

할아버지 일행은 어느덧 깊은 산 속에 접어들었어. 시냇물을 건너는데 때마침 봄이어서 시냇물에 연분홍 꽃잎이 떠내려오고, 그 고운 꽃잎 사이로 뭐가 떠내려 오네. 눈여겨보니 댓잎으로 만든 조그마한 배야. 할아버지 일행은 시냇물을 따라 위로 위로 올라갔어. 점점 더 깊은 산 속으로 들어간 거지.

갑자기 앞이 환해졌어. 숲 사이로 숲에 둘러싸인 빈터가 보이고, 시냇가에서 댓잎으로 배를 만들어 물에 띄우고 있는 애가 있어. 얼마나 반가웠겠어. 그런데 어, 할아버지가 노새에서 내리자마자 그 애가 두 팔을 벌리고 달려오더니 늙은 노새의 절름거리는 다리를 꼭 붙들어 안고, "앙." 하고 울음을 터뜨리는 거야. 그러면서 조그맣게 부르짖어.

"불쌍해, 불쌍해."

그랬더니 놀라운 일이 일어났어. 노새는 그 자리에 주저앉고 싶을 만큼 기운이 빠져 있었는데, 그 애 눈물이 다리를 적시자마자 다시 기운이 솟아나는 거야. 그리고 절름거리던 다리도 멀쩡해졌어. 다음에는 반딧불이를 손바닥에 놓고 또 울음을 터뜨려.

"불쌍해, 불쌍해, 얼마나 외로웠니? 지금도 동무들이 보고 싶지?"

눈물이 반딧불이 몸에 떨어지자 반딧불이 꽁무니에서 갑자기 별빛처럼 초롱초롱한 불빛이 되살아났어.

할아버지가 이게 꿈인가 생시인가 멍하니 지켜보고 있는데, 어느새 할아버지보다 훨씬 더 늙으신 할머니 한 분이 나타나서 할아버지 일행을 맞으시는 거야. 할머니 얼굴에 피어난 웃음이 어찌나 따뜻한지. 할머니가 사시는 집 둘레에 피어난 온갖 예쁜 꽃이 다 그 웃음을 보고 피어난 것 같았어. 할머니가 할아버지에게 말씀하셨어.

"기다렸어요. 그러잖아도 이 세상 떠날 날이 오늘내일하는데, 저 아이를 어찌하나 걱

정하고 있었다오. 오늘 밤 푹 쉬고 내일 저 아이와 함께 집으로 돌아가세요. 다 잘될 거예요." / 이 말을 듣자 할아버지는 그만 "엉." 하고 울음보를 터뜨리셨어. 속절없이 눈물이 터져 나오는 거야. 노새도 울고, 반딧불이도 울고, 그 자리가 온통 눈물바다가 되었어. 이 눈물이 떨어진 꽃잎들과 함께 시냇물을 이루어 아래로 아래로 흘러내려 갔어. 시냇가에서 빨래를 하던 아주머니들은 그 물에 손을 적시자마자 얼어붙은 마음이 스르르 풀리는 걸 느꼈어. 마을 가까이 개울에서 민물고기를 잡고 있던 남자들도 그 물을 마신 고기들을 솥에 끓여 맛있게 먹고 나서 눈빛이 달라지는 거야. 옛날처럼 눈에 장난기가 가득해져 서로 안고, 뒹굴고, 소리를 지르고 야단이 났네.

울보 바보는 지나는 마을마다 마음이 얼어붙은 사람을 만나면 "불쌍해, 불쌍해." 하면서 울음보를 터뜨렸어. 그러면 온 마을 사람들이 덩달아 목 놓아 울었어.

그 눈물이 사람들 마음을 녹이고, 녹아서 흐르는 눈물은 개울을 이루고, 강물을 이루고, 바다로 흘러가면서 온 세상 얼어붙은 사람들 마음을 녹이고, 온갖 풀과 나무와 짐승과 바닷물고기에게도 생기를 주었어.

1
주제찾기

이야기에 담겨 있는 중심 생각은 무엇입니까? ────────────── (   )

① 울음은 상대방을 감동시킨다.

② 병든 마음은 치유하기가 어렵다.

③ 공감어린 마음이 병든 마음을 치유한다.

④ 병든 마음은 마법에 의해서 치유가 가능하다.

⑤ 공감하지 못하는 사람은 마을에서 살아가기 어렵다.

2
제목찾기

등장인물의 이름을 빈칸에 넣어 이야기에 어울리는 제목을 붙이세요.

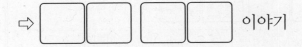

⇨ ☐☐ ☐☐ 이야기

3
사실이해

이야기의 사건 중, 가장 먼저 일어난 것은 어느 것입니까? ────────── (   )

① 마을에 무서운 병이 돌았다.　　② 할아버지가 새벽에 길을 떠났다.

③ 할아버지가 할머니를 만났다.　　④ 할아버지 일행이 울보를 만났다.

⑤ 할아버지 일행은 깊은 산속에 이르렀다.

4 미루어알기

㉠의 원인으로 볼 수 있는 것은 무엇입니까? ———————————— (   )

① 할머니가 저주를 해서
② 할아버지가 길을 떠나서
③ 노새가 다리를 크게 다쳐서
④ 따뜻한 마음을 베풀지 않아서
⑤ 숲 속의 빈터를 찾아가지 못해서

5 세부내용

글의 문장들에 나타난 특징을 알맞게 설명한 것은 어느 것입니까? ——————— (   )

① 풍경을 자세히 그리고 있다.
② 자세히 설명하느라 길이가 길다.
③ 짤막하게 끝맺어 긴장감을 일으킨다.
④ 듣는 이를 맞보고 이야기하는 말투이다.
⑤ 글쓴이의 생각을 뚜렷하게 드러내고 있다.

6 적용하기

이와 같은 이야기 갈래의 글에서 첫머리에는 이야기의 배경을 이루는 내용 두 가지가 반드시 나타나는데요. 그 두 가지가 무엇인지 써보세요.

(   )

7 요약하기

이야기 구성의 3요소에 따라 글의 내용을 요약했습니다. 빈칸에 알맞은 말을 넣으세요.

인물	할아버지, ① ☐☐☐☐, 할머니 등.
배경	옛날(시간), 어느 마을(장소) → 산속 → 숲속 빈터 → 여러 마을
사건	마을에 가슴이 얼어붙는 돌림병이 돌아 할아버지가 약을 찾아 나섰는데 숲속에서 만난 아이가 불쌍하다며 ② ☐☐을 터뜨리자 노새와 반딧불이의 병이 나았다. 숲에서 만난 할머니의 말에 위로를 받은 할아버지가 울었다. 할아버지 일행과 마을로 떠난 울보 바보는 "불쌍해."라고 말하며 울었고 온 마을 사람들의 ③ ☐☐을 녹였다.

뜻 낱말의 뜻풀이로 알맞은 것을 보기 에서 골라 괄호 안에 기호를 쓰세요.

(1) 울보 (　　)

(2) 바보 (　　)

(3) 먹보 (　　)

보기
ㄱ 어리석고 멍청하거나 못난 사람.
ㄴ 밥을 많이 먹는 사람.
ㄷ 걸핏하면 우는 아이.

다지기 위에서 알맞은 낱말을 골라 아래 문장의 빈칸을 채우세요.

(1) 열 살이 넘어도 말 한마디 똑똑히 못하는 걸 보니 □□인가 보다.

(2) 먹을 것을 보면 사족을 못 쓰는 아이이니 별명을 □□라고 붙여야겠다.

(3) 어른들이 울다가 강물에 떠내려갈 아이라고 할 만큼 이름난 □□이다.

넓히기 다음 한자어의 구성과 뜻을 알아보고, 빈칸에 알맞은 한자어를 쓰세요.

- **생기(生** 날 생. **氣** 기운 기.) 싱싱하고 힘찬 기운.
- **전기(電** 번개 전. **氣** 기운 기.) 물질 안에 있는 전자의 이동으로 인하여 생기는 에너지의 한 형태. 저리거나 무엇에 부딪혔을 때 몸에 짜릿하게 오는 느낌을 비유적으로 이르는 말.
- **용기(勇** 날랠 용. **氣** 기운 기.) 씩씩하고 굳센 기운. 또는 사물을 겁내지 아니하는 기개.

(1) 눈빛이 마주치는 순간 짜릿한 □□가 통하는 것 같았다.

(2) 사실대로 말할 □□가 없어서 거짓말을 했다고?

(3) 비행기 표를 눈앞에 흔들거리니, 나른했던 눈에 □□가 돌았다.

시간 공부 날짜 □월 □일　푸는데 걸린 시간 □분

확인 맞은 개수 써보기

| 독해 | □개／7개 | 어휘 | □개／9개 |

시는 보통 말하는 이의 생각이나 느낌을 드러내고 있지만, 그렇지 않고 이야기를 내용으로 한 시도 있어요. 이런 시도 생각을 직접드러내지 않았을 뿐이지 다 읽어보면 자은이가 전하고자 하는 뜻은 감추어져 있어요. 이런 시를 읽을 때는 어떤 일이 있었는지, 그 일에 대해 말하는 사람이 어떤 태도를 보였는지 잘 살펴야 해요.

 1. 15점 2. 15점 3. 10점 4. 15점 5. 15점 6. 15점 7. 15점

나하고 싸운
아이네 집을
지났다.

그 아이는
지금
무얼 하고 있을까?

불러 볼까 말까
그냥 지났다.

어쩐지 마음에 걸린다.

뒤돌아보니
그 아이는
장미꽃 울타리에서
웃고 있었다.

나는 번쩍 손을 들어 보이고
㉠힝 달려
집으로 왔다.

1 시의 중심 내용은 무엇입니까? ───────────────────── (　　)

주제찾기

① 싸운 친구에 대한 미안함
② 친구의 집에 피어있는 아름다운 꽃
③ 학교에서 집으로 돌아오는 길의 풍경
④ 싸웠던 친구와 서로 마음을 풀게 되는 과정
⑤ 친구와 싸운 뒤에 느끼게 되는 불편한 마음

2 2연의 '그 아이'를 구체적으로 풀어놓은 부분을 시에서 찾아 쓰세요.

제목찾기

(　　　　　　　　　　)

3 시에서 말하는 사람이, 망설이는 마음을 표현한 구절은 어느 것입니까? ────── (　　)

사실이해

① 나하고 싸운
② 무얼 하고 있을까?
③ 불러 볼까 말까
④ 어쩐지 마음에 걸린다.
⑤ 손을 들어 보이고

4 ㉠에 배어있는 마음으로 알맞은 것은 어느 것입니까? ───────────── (　　)

미루어알기

① 쑥스럽다
② 궁금하다
③ 안타깝다
④ 안쓰럽다
⑤ 불쾌하다

5

세부내용

시의 내용이 펼쳐진 방법에 대한 설명으로 알맞은 것을 고르시오. ──────── (　　)

① 생각이 떠오르는 순서에 따라

② 장소와 시간이 변화하는 데 따라

③ 사건이 일어난 장소가 어디인지에 따라

④ 말하는 사람이 누구인지에 따라

⑤ 장면을 주도하는 인물에 따라

6

적용하기

이 시에서처럼 내가 친구와 싸웠다면 어떻게 하는 것이 가장 바람직한 태도일까요?

──────────────────────────────── (　　)

① 친구와 외면하고 지낸다.

② 나의 잘못이 없었음을 주장한다.

③ 친구에게 내가 먼저 사과하고 화해한다.

④ 더불어 말하지 않기로 결심한다.

⑤ 싸운 일을 다른 친구들에게 말한다.

7

요약하기

4연과 같이 말한 까닭을 설명한 아래의 빈칸에 공통으로 들어갈 말을 쓰세요.

친구와 싸웠지만 친구의 □□이 지금 어떠할지 궁금하기도 하고,

싸운 일이 미안하고 □□에 걸려서 그냥 지나치기가 불편하였기 때문

입니다.

어휘학습

뜻 낱말의 뜻풀이로 알맞은 것을 보기에서 골라 괄호 안에 기호를 쓰세요.

(1) 걸리다 (   )
(2) 켕기다 (   )

보기
㉠ 마음속으로 겁이 나고 탈이 날까 불안해하다.
㉡ 눈이나 마음 따위에 만족스럽지 않고 언짢다.

다지기 아래 문장의 빈칸에 들어갈 낱말을 보기에서 찾아 쓰세요.

보기
켕기는   걸려서

(1) 짝인 아영이는 무엇인가 ⬜⬜⬜ 일이 있는지 아침부터 겁먹은 표정이다.

(2) 어제 친한 친구와 다툰 일이 ⬜⬜⬜ 마음이 꺼림칙하다.

6
주
30
회

해설편
15쪽

넓히기 다음 한자어의 구성과 뜻을 알아보고, 빈칸에 알맞은 한자어를 쓰세요.

• **지금(只** 다만 지. **今** 이제 금.) 말하는 바로 이때(에).
• **금일(今** 이제 금. **日** 날 일.) 지금 시간이 흐르고 있는 이날. (비슷한 말: 오늘)
• **방금(方** 모 방. **今** 이제 금.) 말하고 있는 시점(時點)보다 바로 조금 전. 말하고 있는 시점과 같은 때. 말하고 있는 시점부터 바로 조금 후.

(1) 내가 좋아하는 빵을 사러 갔는데, ⬜⬜ 그 빵이 다 나갔다는 말을 들으니 허탈하다.

(2) 예나 ⬜⬜ 이나, 우리 엄마는 검소하시다.

(3) 내가 ⬜⬜ 안에 일을 처리하라고 했더니, 놀라서 눈을 휘둥그렇게 떴다.

시간
공부 날짜 ⬜ 월 ⬜ 일
푸는데 걸린 시간 ⬜ 분

확인 맞은 개수 써보기

독해	⬜ 개/7개	어휘	⬜ 개/7개

어휘·어법 총정리

어휘 보기의 낱말을 보고, 뜻과 어울리는 것을 골라 아래의 빈칸에 써보세요.

보기
협동   자본   않은   모둠   토의   짓다   혼합물   노새

1. 초·중등학교에서, 효율적인 학습을 위하여 학생들을 작은 규모로 묶은 모임.

2. 재료를 들여 밥, 옷, 집 따위를 만들다.

3. '아니한'의 준말. '과거에 어떤 일을 하지 아니한'의 뜻.

4. 서로 마음과 힘을 하나로 합함.

5. 말과의 포유류. 암말과 수나귀 사이에서 난 잡종.

6. 두 가지 이상의 물질이 각각의 성질을 지니면서 뒤섞인 것.

7. 어떤 문제에 대해 최선의 해결 방안을 마련하기 위해 서로 의견을 주고받음.

8. 상품을 만드는 데 필요한 생산 수단이나 노동력을 통틀어 이르는 말.

어법 다음 중 맞춤법에 맞는 것을 골라 동그라미 하세요.

1. 참치 [통조림 / 통졸임]을 좋아해.

2. 크림을 세게 [휘저어 / 휘젓어] 만들어.

3. 잘 [굳혀서 / 굳여서] 얹어 놓았다.

4. [조그맣게 / 조금막해] 불렀다.

5. [시내가 / 시냇가]에 돌들이 많다.

6. [부르짖으며 / 부르짇으며] 울었다.

7. 차갑게 [얼어붙은 / 얼어붇은] 마음.

8. 거짓말 한 것이 [캥겨서 / 켕겨서].

확인 나의 점수 확인하기

어휘	개 / 8개	어법	개 / 8개

7주차

회차 / 영역	제목	계획 및 점검
31 인문|설득의 글	**아침 시간** • 나는 ☐월 ☐일 ☐시에 공부할 것입니다.	• 독해력에서 나의 점수는 ☐점입니다. • 어휘력에서 맞은 문제수는 ☐개 / 9개 입니다. • 어려웠던 문제는 _____ 번입니다.
32 사회|설명문	**선거의 네 가지 원칙** • 나는 ☐월 ☐일 ☐시에 공부할 것입니다.	• 독해력에서 나의 점수는 ☐점입니다. • 어휘력에서 맞은 문제수는 ☐개 / 7개 입니다. • 어려웠던 문제는 _____ 번입니다.
33 과학|설명문	**물이 있는 행성** • 나는 ☐월 ☐일 ☐시에 공부할 것입니다.	• 독해력에서 나의 점수는 ☐점입니다. • 어휘력에서 맞은 문제수는 ☐개 / 9개 입니다. • 어려웠던 문제는 _____ 번입니다.
34 산문문학|희곡	**숲 속의 대장간** • 나는 ☐월 ☐일 ☐시에 공부할 것입니다.	• 독해력에서 나의 점수는 ☐점입니다. • 어휘력에서 맞은 문제수는 ☐개 / 7개 입니다. • 어려웠던 문제는 _____ 번입니다.
35 운문문학|시	**늦게 피는 꽃** • 나는 ☐월 ☐일 ☐시에 공부할 것입니다.	• 독해력에서 나의 점수는 ☐점입니다. • 어휘력에서 맞은 문제수는 ☐개 / 9개 입니다. • 어려웠던 문제는 _____ 번입니다.

• 이번 주 독해력 문제에서 나의 점수는 평균 ☐점입니다.

• 이번 주 어휘력에서 맞은 문제수는 모두 ☐개입니다.

31

설득하는 글은 글쓴이의 생각(의견, 주장)과 그 생각을 뒷받침하는 내용(까닭)으로 이루어져요. 이 둘은 누가 보더라도 알맞다고 여길 만한 것이어야 해요. 특히 까닭은 생각과 잘 어울려 알맞다고 여길 만한 것이어야 해요.

점수 계산   1. 15점   2. 10점   3. 15점   4. 15점   5. 15점   6. 15점   7. 15점

(가) 우리 학교는 날마다 8시 30분까지 등교하도록 정해져 있습니다. 그리고 9시에 1교시를 시작하는데 그사이 30분 동안 요일마다 다른 아침 활동을 합니다. 아침 활동은 학년마다 다른데, 4학년은 월요일에 청소와 독서 활동, 화요일에 글쓰기와 영어 회화 활동, 수요일에 방송 듣기와 명상 활동, 목요일에 체력 단련과 토의 활동, 금요일에 자기 반성과 학급회의 활동을 합니다. 이렇게 날마다 아침 시간 30분을 15분씩 나누어 두 가지 활동을 하고 있습니다.

아침 활동을 하면 수업 시간에 배우지 않는 내용을 해 보며 여러 가지 경험을 할 수 있어서 좋습니다. 그렇지만 저는 아침 시간이 너무 힘듭니다. 왜냐하면 날마다 15분씩 시간을 나누어서 두 가지 활동을 하면 한 가지도 제대로 하지 못하고 넘어가는 경우가 많기 때문입니다.

아침 시간에 여유 있게 공부할 준비를 하면 좋겠습니다. 이렇게 바쁘게 아침 활동을 하고 나면 수업 시간에 집중이 더 안 되는 것 같습니다. 그래서 저는 아침 활동을 하루에 한 가지씩만 하고 남는 시간은 저희에게 돌려주시면 좋겠습니다.

(나) 우리 학교는 날마다 여러 가지 아침 활동을 하고 있습니다. 아침에 8시 30분까지 등교하여 1교시를 시작하는 9시까지의 30분을 15분씩 나누어 두 가지 특별 활동을 합니다. 독서, 글쓰기, 영어 회화, 학급회의, 명상, 체력 단련, 토의, 방송 듣기 등 여러 가지 아침 활동을 요일별로 두 가지씩 하고 있습니다.

저는 30분의 아침 시간이 참 소중하다고 생각합니다. 사실 아침에 학교에 온 뒤에 아무것도 하지 않으면 그 시간은 그냥 지나가 버릴 시간입니다. 친구와 수다를 떨거나 의미 없는 장난을 치며 보내기 일쑤이지만, 이렇게 알찬 아침 활동을 하고 나면 마음이 뿌듯합니다.

"(㉠   )"라는 말이 있습니다. 한번 지나간 시간은 다시 돌아오지 않기 때문에 우리에게 주어진 시간을 보물처럼 소중하게 써야 한다는 뜻입니다. 30분이 짧게 느껴질지 모르지만 짧은 시간이라도 알차게 보내야 합니다.

아침 시간에 하는 활동은 우리가 수업 시간에 교과서에서 배우기 어려운 것입니다. 그뿐만 아니라 아침 활동으로 우리는 지식을 쌓고 마음을 닦을 수 있습니다. 그래서 저는 아침 활동을 하고 나면 나를 위하여 스스로 노력하였다는 생각에 마음이 뿌듯합니다.

　　그런데 어떤 친구는 15분씩 나누어 하는 아침 활동이 너무 힘들다고 합니다. 그렇지만 시간을 낭비하는 것보다는 조금 힘들어도 알차게 이용하는 것이 낫다고 생각합니다. 앞으로 더욱 다양한 아침 활동이 만들어져서 더 많은 내용을 익혔으면 좋겠습니다.

1 주제찾기

두 사람은 어떤 문제를 둘러싸고 서로 의견을 달리하고 있습니까? .... (　　)

① 아침 활동을 폐지할 것인가에 관해서
② 아침 활동 시간을 줄일 것인가에 관해서
③ 아침 활동을 지금보다 늘릴 것인가에 관해서
④ 아침 활동을 선생님이 감독할 것인가에 관해서
⑤ 아침 활동의 일부를 자율로 실행할 것인가에 관해서

2 제목찾기

두 사람은 공통적으로 무엇에 대해 의견을 발표했습니까?

⇨ ☐ ☐ 활동

해설편 16쪽

3 사실이해

(가)에서 주장을 뚜렷이 드러낸 문장은 어느 것입니까? .... (　　)

① 우리 학교는 날마다 8시 30분까지 등교하도록 정해져 있습니다.
② 날마다 아침 시간 30분을 15분씩 나누어 두 가지 활동을 하고 있습니다.
③ 아침 활동을 하면 수업 시간에 배우지 않는 경험을 할 수 있어서 좋습니다.
④ 날마다 두 가지 활동을 하면 한 가지도 제대로 하지 못하고 넘어가는 경우가 많기 때문입니다.
⑤ 아침 활동을 하루에 한 가지씩만 하게 하고 남는 시간은 저희에게 돌려주시면 좋겠습니다.

4

미루어알기

(나)에서 의견에 대한 까닭을 가장 잘 간추린 것은 어느 것입니까? ───────── (   )

① 아침 활동이 없으면 허송세월한다.

② 아침 활동이 없으면 교실이 소란해진다.

③ 아침 시간에 하는 활동은 우리에게 유익하다.

④ 알찬 아침 활동을 하고 나면 기분이 좋아진다.

⑤ 시간을 보물처럼 소중하게 써야 한다는 뜻에 찬성한다.

5

세부내용

㉠에 들어갈 격언으로 가장 알맞은 것은 어느 것입니까? ───────── (   )

① 시간은 금이다.   ② 시간은 물과 같다.

③ 시간 가는 줄 모른다.   ④ 시간은 번개처럼 지나간다.

⑤ 시간은 흘러 돌아오지 않는다.

6

적용하기

두 사람이 토론을 한다면, (가)의 글쓴이가 (나)의 글쓴이의 주장을 반격할 말로 빈칸을 채우세요.

제 의견에 대해 □□을 □□한다고 지적했는데 그것은 제 의견을 오해한 것이고, 따라서 반대 의견에 대한 근거가 될 수 없습니다.

7

요약하기

의견과 근거로 나누어 (가), (나)의 내용을 간추렸습니다. 빈칸에 알맞은 말을 쓰세요.

	의견	근거(까닭)
(가)	아침 시간 중 스스로 꾸려갈 수 있는 시간을 주어야 한다.	15분씩 시간을 나누어서 ① □□□ 활동을 하면 ② □□□ 도 제대로 하지 못하고 넘어가는 경우가 많다.
(나)	아침 시간을 지금처럼 학교에서 정해놓은 대로 꾸려야 한다.	허송세월 않고 시간을 활용하여 ③ □□ 을 쌓고 마음을 닦을 수 있다.

어휘학습

뜻 낱말의 뜻풀이로 알맞은 것을 [보기] 에서 골라 괄호 안에 기호를 쓰세요.

(1) 힘들다 ( )
(2) 알차다 ( )
(3) 허송세월 ( )

[보기]
㉠ 속이 꽉 차 있거나 내용이 아주 실속이 있다.
㉡ 마음이 쓰이거나 수고가 되는 면이 있다.
㉢ 하는 일 없이 세월만 헛되이 보냄.

다지기 아래 문장의 빈칸에 들어갈 낱말을 [보기] 에서 찾아 쓰세요.

[보기]
힘들다고   알찬   허송세월

(1) 아침에 일찍 등교하는 일이 번거롭더라도 [ ][ ] 하루를 시작할 수 있어.

(2) 오빠는 매일 게임만 하며 [ ][ ][ ][ ] 로 한 해를 넘겼다.

(3) 동생은 유치원 다니는 것도 [ ][ ][ ][ ] 칭얼댔다.

넓히기 다음 한자어의 구성과 뜻을 알아보고, 빈칸에 알맞은 한자어를 쓰세요.

- **등교**(登 오를 등. 校 학교 교.) 학생이 학교로 감.
- **하교**(下 내릴 하. 校 학교 교.) 학교에서 집으로 돌아옴.
- **교육**(教 가르칠 교. 育 기를 육.) 가르치며 인격을 길러 줌.
- **학습**(學 배울 학. 習 익힐 습.) 배워서 익힘.

(1) 좋은 [ ][ ] 이 훌륭한 사람을 만든다.

(2) 학생들은 좋은 [ ][ ] 태도를 지녀야 한다.

(3) 보통 때라면 아이들이 오전에 [ ][ ] 를 하고 오후에는 [ ][ ] 를 하는
것이지만 전염병 때문에 학교에 전혀 가지 않는 날이 있었다.

해설편 16쪽

시간 공부 날짜 [ ] 월 [ ] 일
푸는데 걸린 시간 [ ] 분

확인 맞은 개수 써보기

독해	[ ]개/7개	어휘	[ ]개/9개

32

반장, 회장, 위원장, 조합장과 같은 일정한 조직의 대표를 뽑는 일을 '선거'라고 해요. 또 선거권을 가진 사람이 공직에서 일할 사람을 투표로 뽑는 것을 뜻하기도 해요. 대통령 선거, 국회의원 선거, 도지사·시장·군수 선거라고 할 때는 이런 선거를 말하죠.

점수
계산   1. 15점   2. 10점   3. 15점   4. 15점   5. 15점   6. 15점   7. 15점

선거에서 꼭 지켜야 할 네 가지 원칙이 있습니다.

첫째, 보통 선거의 원칙입니다. 선거권의 부여에 따라 보통 선거와 제한 선거를 구분합니다. 보통 선거란, 인간은 모두 평등하다는 민주주의 근본정신에 의해 일정한 나이가 되면 누구나 선거에 참여할 수 있도록 한 원칙입니다. 제한 선거에서는 일정한 조건을 줍니다. 예를 들면 재산, 백인, 남성 등의 조건에 해당하여야 선거를 할 수 있습니다.

둘째, 평등 선거의 원칙입니다. 표의 가치에 따라 평등 선거와 차등 선거를 구분합니다. 평등 선거란, 선거권이 있는 사람이라면 누구나 똑같이 한 표씩만 투표하도록 하는 것을 말합니다. 차등 선거는 일정한 조건에 따라 투표지 간의 가치가 달라집니다. 예를 들어 재산이 많은 사람에게는 두 표를 주는 식입니다.

셋째, 직접 선거의 원칙입니다. 선거의 권리를 누가 행사하느냐에 따라 직접 선거와 간접 선거를 구분합니다. 직접 선거는 후보자들에게 선거권자가 직접 투표를 하는 것을 말합니다. 간접 선거는 선거권자가 선거인단을 직접 뽑아 그 선거인단의 투표를 통해 당선자를 결정하는 제도입니다. 미국 대통령 선거에서 간접 선거를 활용하고 있지만, 원칙은 아닙니다.

넷째, 비밀 선거의 원칙입니다. 투표 내용의 공개 여부에 따라 비밀 선거와 공개 선거를 구분합니다. 비밀 선거란, 투표할 때 기표소에 들어가서 표의 내용을 투표자 이외에는 알 수 없도록 하는 제도입니다. 공개 선거는 투표의 내용을 다른 사람에게 공개하는 제도입니다.

1 글에서 다룬 '네 가지 원칙'은 무엇을 위한 것입니까? ────────── ( )

주제찾기

① 민주주의의 이념
② 권리의 정당한 행사
③ 재산의 공평한 분배
④ 인간이 평등하다는 사상
⑤ 투표를 통한 당선자 결정

2 빈칸을 채워 글의 제목을 완성하세요.

제목찾기

| | |의 네 가지 | | |

3 선거의 네 가지 원칙 중, 민주주의 근본정신에 바탕을 두고 정해진 것은 무엇인지 쓰세요.

사실이해

( )

해설편 16쪽

4 글의 내용과 일치하는 것은 어느 것입니까? ────────── ( )

미루어알기

① 선거에서 지키지 않아야 할 원칙도 있다.
② 제한 선거에서는 투표권을 안 줄 수 있다.
③ 평등 선거에서 선거권이 없는 사람이 생긴다.
④ 직접 선거에서 선거인단이 투표권을 행사한다.
⑤ 비밀 선거를 하고도 투표소 밖에서 사실을 공개한다.

5

세부내용

'선거'와 '투표'의 뜻을 골라놓은 것은 어느 것입니까? ─────── (   )

┌───┐
│ ㉠ 의사를 표시하여 표를 내는 곳.   │
│ ㉡ 조직이나 집단의 대표자나 임원을 뽑는 활동.   │
│ ㉢ 투표용지에 의사를 표시하여 일정한 곳에 내는 일.   │
│ ㉣ 공정하게 대표의 선출이 이루어지는지 감시하는 일. │
└───┘

　　　　〈선거〉　　　〈투표〉
① 　　 ㉠ 　　　　 ㉡
② 　　 ㉡ 　　　　 ㉢
③ 　　 ㉢ 　　　　 ㉣
④ 　　 ㉠ 　　　　 ㉣
⑤ 　　 ㉡ 　　　　 ㉤

6

적용하기

서로 관련되는 것끼리 선으로 연결하세요.

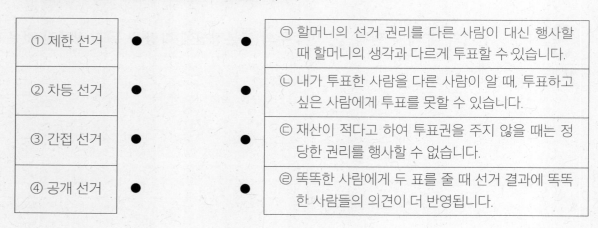

① 제한 선거	●	●	㉠ 할머니의 선거 권리를 다른 사람이 대신 행사할 때 할머니의 생각과 다르게 투표할 수 있습니다.
② 차등 선거	●	●	㉡ 내가 투표한 사람을 다른 사람이 알 때, 투표하고 싶은 사람에게 투표를 못 할 수 있습니다.
③ 간접 선거	●	●	㉢ 재산이 적다고 하여 투표권을 주지 않을 때는 정당한 권리를 행사할 수 없습니다.
④ 공개 선거	●	●	㉣ 똑똑한 사람에게 두 표를 줄 때 선거 결과에 똑똑한 사람들의 의견이 더 반영됩니다.

7

요약하기

글에서 설명한 선거에서 꼭 지켜야 할 네 가지 원칙을 모두 쓰세요.

(　　　　　　　　　　　　　　　　　　　　　　　　　　　)

어휘학습

뜻 낱말의 뜻풀이로 알맞은 것을 보기 에서 골라 괄호 안에 기호를 쓰세요.

(1) 지키다 (   )

(2) 어기다 (   )

보기

㉠ 규칙, 명령, 약속, 시간 따위를 지키지 아니하고 거스르다.

㉡ 규정, 원칙, 약속, 법, 예의 따위를 어기지 아니하고 그대로 실행하다.

다지기 위의 낱말을 알맞게 꼴바꿈하여 아래의 빈칸에 넣으세요.

(1) 선거에서 원칙을 ☐☐ 사람들은 민주시민으로서 자부심을 가진다.

(2) 미국에서 한때 흑인에게 선거권을 주지 않은 것은 선거의 원칙을 ☐☐ 것이다.

넓히기 다음 한자어의 구성과 뜻을 알아보고, 빈칸에 알맞은 한자어를 쓰세요.

- **구분(區** 가를 구. **分** 나눌 분.) 일정한 기준에 따라 전체를 몇 개로 갈라 나눔.
- **분류(分** 나눌 분. **類** 같은 부류 류.) 성질이 같은 것끼리 나누어 묶음.
- **구별(區** 가를 구. **別** 차이를 둘 별.) 성질이나 종류의 차이에 따라 갈라 놓음.

(1) 농산물에서 국산과 수입품을 ☐☐하는 일은 쉽지 않다.

(2) 읽은 책과 읽지 않은 책을 ☐☐하여 각기 다른 곳에 두다.

(3) 관찰한 식물을 생김새에 따라 몇 가지로 ☐☐하다.

시간 공부 날짜 ☐ 월 ☐ 일

푸는데 걸린 시간 ☐ 분

확인 맞은 개수 써보기

독해	☐ 개/7개	어휘	☐ 개/7개

33

물이 있어야 생명체가 살 수 있어요. 지구 밖의 행성에서 생명체를 발견하기 위해 떠난 우주 탐사선은 그 행성에 도착하여 가장 먼저 알아내려고 하는 것이 물이 있는지, 그것도 액체 상태의 물이 있는지부터 찾아내려 합니다.

접수계산 1. 15점 2. 15점 3. 10점 4. 15점 5. 15점 6. 15점 7. 15점

생명체가 살고 있는 지구를 보면 알 수 있듯이, 생명체가 살기 위해서 꼭 필요한 요소 중 하나는 액체 상태의 물이에요. 물은 지구 표면의 70%를 덮고 있으며, 생물체의 성분 중 50% 이상을 차지하지요. 행성에 물이 액체 상태로 존재하려면 대기가 적당히 있고, 표면 온도가 0~100℃ 사이여야 해요. 따라서 뜨겁게 타고 있는 태양과 같은 별로부터 적절히 떨어진 곳에 행성이 있어야 물이 존재할 거예요. 이런 곳을 '생명체 거주 가능 영역'이라고 불러요. 물이 있는 곳이어야 생명체가 살 수 있으니까요. ㉠마치 사막의 오아시스 같은 곳이라고 할 수 있지요.

우주에 지구처럼 물이 있는 행성이 있을까요? 만약 그런 곳이 있다면 우리가 가서 살 수도 있고, 그곳에 사는 생명체를 만날 수 있을지도 모릅니다. 오래전부터 과학자들은 우주에 물이 있는 행성이 있을 것으로 생각하였고, 그 행성을 찾기 위하여 많은 노력을 하였습니다. 그러나 지금까지의 과학 기술로는 매우 멀리 떨어진 행성까지 사람이 직접 갈 수 없으므로 탐사선에서 보내오는 신호와 여러 가지 망원경으로 관측한 내용을 분석하여 다른 행성에 물이 있는지 연구하고 있습니다.

과학자들의 끊임없는 노력으로 지구와 가까운 행성인 화성에서 물이 흐른 듯한 흔적을 발견하였으며, 화성의 극지방에는 얼음이 있을 것으로 추측하고 있습니다. 최근에는 화성에 무인 탐사 로봇 '큐리오시티'를 보내어 화성 표면의 흙을 분석하였습니다. 그 결과, 약 36억 년 전에 생명체가 살 수 있을 정도의 충분한 물이 있었던 호수가 존재하였다는 것을 밝혀내어 물이 있는 행성을 찾는 데 한 걸음 더 나아갔습니다.

2005년 9월 미국 항공우주국(NASA)이 1996년에 발사한 탐사선이 화성의 센타우리 몬테스 지역 크레이터에서 찍은 사진에서 이전에 찍은 사진에서 보이지 않던 협곡이 생긴 것을 발견했습니다.

낱말풀이 ❶ 행성 중심 별의 강한 인력의 영향으로 타원 궤도를 그리며 중심 별의 주위를 도는 천체. 태양계에는 수성, 금성, 지구, 화성, 목성, 토성, 천왕성, 해왕성의 여덟 개 행성이 있음. ❷ 대기 천체의 표면을 둘러싸고 있는 기체. ❸ 협곡 험하고 좁은 골짜기.

1 글 전체의 중심 내용은 무엇입니까? ────────────────── ( )

주제찾기

① 생명체가 살기 위한 조건
② 생명체가 살 수 있는 온도
③ 물이 있는 행성을 찾는 노력
④ 물이 있는 행성을 찾기 위한 방법
⑤ 물이 흐른 듯한 흔적이 발견된 화성

2 글쓰기를 시작하도록 한 글감이 무엇인지 찾아 쓰세요.

글감찾기

( )

3 글의 내용과 일치하는 것은 어느 것입니까? ────────────── ( )

사실이해

① 물은 생명체가 살기 위한 필수 요소이다.
② 생명체의 70%는 물 성분으로 이루어져 있다.
③ 지구처럼 물이 있는 행성을 쉽게 발견할 수 있다.
④ 물이 있는 행성으로 사람을 보낸 적이 있다.
⑤ 화성에서 물과 함께 생명체가 발견되었다.

4 화성에서 물의 흔적은 어떤 방법으로 알게되었습니까? ──────── ( )

미루어알기

① 물리적인 계산에 의해
② 화학적인 실험을 통해
③ 과학자들의 토론을 통해
④ 화성에 다녀온 우주인에 의해
⑤ 탐사선이 보내온 자료를 분석하여

5

세부내용

㉠과 같이 비유한 까닭으로 알맞은 것은 무엇입니까? ─────────── ( )

① 물이 거의 없기 때문에

② 생명체가 살 수 있기 때문에

③ 쉽게 발견되고 있지 않기 때문에

④ 우주선을 타야 갈 수 있기 때문에

⑤ 모래로 덮인 행성이기 때문에

6

적용하기

글을 읽고 상상해 본 내용입니다. 빈칸에 알맞은 낱말을 쓰세요.

> 과학자들은 머지않은 미래에 우주여행을 할 수 있으리라고 예측하고 있습니다. 멀리 떨어진 행성을 향해 오랜 기간 여행할 때 우주인의 생존을 위해 필수적인 요소를 우주선 안에서 해결하는 기술을 갖추어두는 일이 가장 먼저 이루어져야 한다고 합니다. 무엇보다 생명체가 살아가기 위해 꼭 필요한 ☐을 실험실에서처럼 화학적으로 합성할 수 있어야 합니다.

7

요약하기

글의 주요 내용을, 단계에 따라 아래의 표로 간추렸습니다. 빈칸을 채워 완성하세요.

생명체가 살아가기 위한 필수적 요건: ① ☐ 의 존재

↓

물이 있는 행성을 찾는 노력: ② ☐☐☐ 이 보내온 신호와   여러가지 ③ ☐☐☐ 으로 관측하고 분석하는 연구

↓

화성에서 물의 흔적 발견

어휘학습

뜻 낱말의 뜻풀이로 알맞은 것을 보기 에서 골라 괄호 안에 기호를 쓰세요.

(1) 떠돌다 (　　　)
(2) 멈추다 (　　　)
(3) 흐르다 (　　　)

> **보기**
> ㄱ 낮은 곳으로 내려가거나 넘쳐서 떨어지다.
> ㄴ 공중이나 물 위에 떠서 이리저리 움직이다.
> ㄷ 사물이나 사람의 움직임이나 동작이 그치다.

다지기 위에서 설명한 낱말을 아래 문장의 빈칸에 꼴바꿈하여 넣으세요.

(1) 맑은 하늘에 흰 구름이 몇 점 [　][　][　] 있다.

(2) 들판을 가로질러 멀리까지 시냇물이 [　][　][　] 있다.

(3) 아무리 바빠도 잠시 걸음을 [　][　][　] 이 풍경을 보아라.

넓히기 다음 한자어의 구성과 뜻을 알아보고, 빈칸에 알맞은 한자어를 쓰세요.

> • **생명**(生 날 생. 命 목숨 명.) 사람이 살아서 숨 쉬고 활동할 수 있게 하는 힘. 사물이 존재할 수 있는 가장 중요한 요건을 비유적으로 이르는 말.
> • **명령**(命 목숨 명. 令 하여금 령.) 윗사람이나 상위 조직이 아랫사람이나 하위 조직에 무엇을 하게 함. 또는 그런 내용.
> • **운명**(運 옮길 운. 命 목숨 명.) 인간을 포함한 모든 것을 지배하는 초인간적인 힘. 또는 그것에 의하여 이미 정하여져 있는 목숨이나 처지. 앞으로의 생사나 존망에 관한 처지.

(1) 환경 보호는 세계 전체의 [　][　] 과 관련된다.

(2) 옆집 아주머니는 항상 나에게 [　][　] 하듯 말하셔서 기분이 나쁘다.

(3) 우리집 김치 맛의 [　][　] 은 바로 젓갈이라며 할머니는 목소리를 높이셨다.

시간 공부 날짜 [　] 월 [　] 일
　　　 푸는데 걸린 시간 [　] 분

확인 맞은 개수 써보기

독해	[　] 개 / 7개	어휘	[　] 개 / 9개

7주 33회
해설편 17쪽

34

여러분은 희곡과 소설의 차이를 아시나요? 소설은 인물, 배경, 사건을 묘사하고 설명하지만 희곡은 대사로 인물의 심리나 성격을 드러내죠. 구성단계도 조금 다른데요, 소설은 <발단-전개-위기-절정-결말>의 구조라면, 희곡은 <발단-전개-절정-하강-대단원>이랍니다. 아래 부분은 어느 단계에 해당할지 생각하며 읽어봅시다.

점수 계산   1. 15점   2. 15점   3. 15점   4. 15점   5. 10점   6. 15점   7. 15점

[앞의 줄거리] 꼬마는 사냥꾼에게 쫓겨 도망쳐 온 토끼를 대장간 안의 가마솥에 숨겨주고 토끼를 따라온 사냥꾼에게는 토끼가 숲으로 갔다고 했다. 그러자 사냥꾼은 토끼를 잡으러 숲 속으로 달려갔고, 그 사이에 읍내에 갔던 대장간 주인이 돌아온다.

　　주인, 방 안으로 들어가자 꼬마, 한 걸음 두 걸음 솥 쪽으로 다가간다.

참새 1, 2, 3, 까마귀 1, 2, 3 : (노래)

　　이때다, 이때다, 지금이 좋지. / 토끼를 살리기는 지금 이때지.

　　사냥꾼이 없는 새, 불 때기 전에 / 토끼를 놓아주면 된단 말이야.

　　방 안에서 주인이 나오기만 하면 / 토끼는 솥 안에서 익혀 죽겠지.

　　빨리빨리 하세요, 꼬마 대장꾼 대장장이님.

　　꼬마가 솥뚜껑을 열자 토끼가 얼굴을 내민다. 그러나 사냥꾼이 되돌아오는 통에 토끼 다시 숨어버린다.

참새 1, 2, 3 : 이크, 사냥꾼이 온다. / **사냥꾼** : (투덜거리며 들어오면서) 흥, 숲 속에는 개미 한 마리도 없는걸. 그런 토끼는 처음 봤어.

　　꼬마, 솥 앞을 막아서고 사냥꾼, 총을 세워 놓고 꼬마 쪽으로 다가선다.

사냥꾼 : 빨리 물 좀 줘. / **꼬마** : 당신이 없기에 내버렸어요. / **사냥꾼** : 내버렸다고?

꼬마 : 물 길어 오라고 해 놓고 어디 갔어요?

사냥꾼 : 토끼 찾으러 갔지……. 그럼 또 떠 오려무나.

꼬마 : 싫어요! 나는 바빠요. 아궁이에 불을 지펴야 하니까요.

사냥꾼 : 그럼 잘됐군. 그 솥 안의 물이라도 좀 주렴.

꼬마 : 이 솥 안에는 물이 없다고 그랬잖아요.

사냥꾼 : 참 이상한 애야. 아궁이에다 불을 지피면서 솥에 물이 없다면 말이 돼?

꼬마 : 참, 그렇지. 솥에 물부터 길어 넣어야지. (물통을 들고 밖으로 나가다가 사냥꾼에게) 주인님이 와 계시니까 함부로 뒤지지 마셔야 해요.

사냥꾼 : 오냐. (머리를 갸우뚱거리며) 이상하다. 아까부터 자꾸만 아무 데나 손을 대지 말라고 하니 웬일일까? 정말 솥 안에 물이 없을까? (솥뚜껑에 손을 댄다.)

참새 1, 2, 3 : (숲 속에서 고개를 내밀며) 불이야, 산불이야!

까마귀 1, 2, 3 : (숲 속에서 고개를 내밀며) 까옥까옥!

사냥꾼 : 뭐, 산불? (밖으로 달려 나간다.) / 참새 1, 2, 3, 까마귀 1, 2, 3 : (노래)

　때가 왔다, 때가 왔다, 도망칠 때가.

　사냥꾼이 오기 전에 도망쳐야지. / 머뭇머뭇하다가는 잡혀서 죽어.

　이때 꼬마, 재빨리 들어와 물통을 내려놓고 솥뚜껑을 열어 토끼를 도망치게 한다.

　토끼, 달아나면서 꼬마에게 고맙다고 인사한다. (생략)

　토끼, 다른 쪽을 도망쳐 나간다. 꼬마, 사냥꾼 총에서 총알을 빼 버린다.

사냥꾼 : (들어오며 큰 소리로) 아, 토끼가 도망치고 있군. (총을 집어 들고 방아쇠를 당기다가) 어, 웬일일까? (총을 꺾어 보고는) 총알이 없군. 분명히 총알을 넣어 두었는데……

　　꼬마, 사냥꾼은 아랑곳하지 않고 솥에다 물을 붓고 아궁이에 불을 지핀다.

사냥꾼 : 아이, 재수없어……. (꼬마에게) 물이나 좀 다오.

꼬마 : (솥에서 물을 떠내어 주며) 여기 있어요.

사냥꾼 : (물을 마시지 않고 혼자말로) 에에. 이젠 그놈의 토끼를 쫓지 말아야지. 그놈의 토끼 한 마리 때문에 아침내 공연히 땀만 흘렸네. (꼬마에게) 꼬마야, 잘 있어라!

꼬마 : 예, 예, 잘 가세요.

1 주제찾기

글쓴이가 강조하고자 한 내용은 무엇입니까? —————————————(　)

① 나쁜 사람에게 벌주기　　　　② 사람과 자연의 아름다운 어울림

③ 생명을 소중히 여기는 착한 마음　④ 열심히 일한 데서 얻는 보람

⑤ 착한 사람에게 상 주기

2 제목찾기

아래의 도움말에 따라 글의 제목을 써 보세요.

> 　지은이가 마음먹고 고른 작품의 요소가 있다면 그런 요소가 작품의 제목에 들어가는 경우가 있습니다. 이 작품처럼 배경이 특이해서 지은이의 관심이 쏠려 있다면, 그 배경이 제목에 포함됩니다.

⇨ □ □ 의 □ □ □

3 이 희곡의 주인공은 누구입니까? ———————————————— (   )

사실이해

① 참새1　　　　　　② 꼬마　　　　　　③ 참새2

④ 사냥꾼　　　　　　⑤ 까마귀1

4 사냥꾼은 왜 토끼를 잡으러 숲으로 갔을까요? ———————— (   )

미루어알기

① 까마귀가 울어서　　　　　　　② 참새가 날아다녀서

③ 할머니가 숲에서 나와서　　　　④ 토끼의 흔적이 숲으로 나 있어서

⑤ 토끼가 숲으로 갔다는 말에 속아서

5 글의 종류는 무엇입니까? ———————————————————— (   )

세부내용

① 희곡　　　　　　② 동시　　　　　　③ 동화

④ 소설　　　　　　⑤ 동요

6 행동으로 미루어 꼬마의 성격으로 알맞은 것을 모두 고르세요. ———— (   )

적용하기

① 지혜롭다　　　　② 끈질기다　　　　③ 잘 속는다

④ 착하다　　　　　⑤ 미련하다

7 작품의 인물, 배경, 사건을 정리한 표입니다. 빈칸을 채우세요.

요약하기

인물	꼬마, 참새들, 까마귀들, 토끼, ① ⬜⬜⬜, 주인
배경	마을에서 떨어진 숲 속 ② ⬜⬜⬜
사건	꼬마가 사냥꾼에게 쫓기던 토끼를 ③ ⬜⬜⬜에 숨겨서 구해줌

어휘학습

뜻 낱말의 뜻풀이로 알맞은 것을 보기에서 골라 괄호 안에 기호를 쓰세요.

(1) 대장간 (   )

(2) 외양간 (   )

보기
ㄱ 말이나 소를 기르는 곳. 말을 기르는 곳은 '마구간'으로도 씀.
ㄴ 쇠를 달구어 온갖 연장을 만드는 곳. 대장장이가 일하는 곳.

다지기 보기의 낱말을 사용하여 다음 문장의 빈칸을 채우세요.

보기
외양간   대장간

(1) 소 잃고 □□□ 고친다는 말은 일이 이미 잘못된 뒤에는 손을 써도 소용이 없음을 비꼬는 말이다.

(2) 쇠를 달구어 연장을 만드는 곳이 □□□이다.

넓히기 다음 한자어의 구성과 뜻을 알아보고, 빈칸에 알맞은 한자어를 쓰세요.

- **피신**(避 피할 피. 身 몸 신.)**하다** 위험을 피하여 몸을 숨기다.
- **피난**(避 피할 피. 難 어려울 난.)**하다** 전쟁, 지진, 물난리, 화산 폭발 등의 재난을 피하여 멀리 옮겨 가다.
- **도피**(逃 도망할 도. 避 피할 피.)**하다** 도망하여 몸을 피하다.

(1) 전쟁으로 인해 □□하는 사람들이 줄을 이었다.

(2) 이 곳은 위험하니 잠시 □□해 몸을 숨기고 있어라.

(3) 긴급상황시 대피소로 □□하라는 안내를 받았다.

시간 공부 날짜 [   ]월 [   ]일
푸는데 걸린 시간 [   ]분

확인 맞은 개수 써보기

독해	[ ]개 / 7개	어휘	[ ]개 / 7개

7
주
34
회

해설편
17쪽

점수
계산   1. 15점   2. 15점   3. 10점   4. 15점   5. 15점   6. 15점   7. 15점

엄마
저 땜에 걱정 많으시죠?
어설프고 철이 없어서요

봄이 왔다고 다 서둘러
꽃이 피나요?
늦게 피는 꽃도 있잖아요

덤벙대고
까불고 철없다고
속상하지 마세요

나도 느림보
늦게 피는 꽃이라면
자라날 시간을 주세요

조금만
조금만 더
기다려 주세요
철들 시간이 필요해요

1
주제찾기

'엄마'에게 부탁하는 내용의 요지를 가장 잘 표현한 것은 어느 것입니까? ------ (   )

① 철부지를 돌봐 주세요.

② 철없는 동생 걱정을 하세요.

③ 철들 때까지 저를 기다려 주세요.

④ 철들 시간까지 눈감고 무관심하세요.

⑤ 철드는 어른도 있다는 사실을 알아주세요.

2
제목찾기

말하는 사람을 빗댄 것이 글감이 될 수 있습니다. 글감을 시에서 찾아 쓰세요.

⇨ ☐☐☐☐ 꽃

3
사실이해

시에서 말하는 사람이 스스로의 모습으로 알아차린 것과 거리가 <u>먼</u> 것은 무엇입니까? ——————————— (   )

① 서두른다.

② 철이 없다.

③ 어설프다.

④ 느림보이다.

⑤ 자라나고 있다.

4
미루어알기

'나'가 스스로 '늦게 피는 꽃'이라고 말한 까닭은 무엇입니까? ——————————— (   )

① 걱정이 많아서

② 서둘러 봄이 와서

③ 어설프고 철이 없어서

④ 자라날 시간이 없어서

⑤ 철들 시간이 지나가 버려서

5 세부내용

시에서 '말하는 사람-듣는 사람'의 짝을 옳게 나열한 것은 어느 것입니까? … (   )

① 나-꽃

② 꽃-나

③ 꽃-엄마

④ 나-엄마

⑤ 나-사람들

6 적용하기

시에 나온 '나'가 '엄마'에게 편지를 쓴다고 했을 때, 그 요지로 알맞은 것을 고르세요. ────────────────── (   )

① 엄마 걱정하지 마세요.

② 엄마 저는 집안의 악녀예요.

③ 엄마 저만 미워하지 마세요.

④ 엄마 늦게 피는 꽃이 더 곱답니다.

⑤ 엄마 저도 노력하고 있으니 철들때까지 기다려 주세요.

7 요약하기

'꽃'과 '나'를 비교하여 시의 내용을 정리한 표입니다. 빈칸을 채워 완성하세요.

늦게 피는 꽃	'나'
① ☐ 이 되어도 늦게 핌.	어설프고 ② ☐ 이 없음.
③ ☐ ☐ ☐ 시간이 필요함.	④ ☐ ☐ 시간이 필요함.

어휘학습

뜻 낱말의 뜻풀이로 알맞은 것을 보기 에서 골라 괄호 안에 기호를 쓰세요.

(1) 철없다 (　　　)

(2) 열없다 (　　　)

(3) 철들다 (　　　)

보기
- ㉠ 좀 겸연쩍고 부끄럽다. 배짱이 작고 겁이 많다.
- ㉡ 할 일과 하지 않아야 할 일을 구별할 만한 생각이 갖추어지지 않았다.
- ㉢ 사리를 분별하여 판단하는 힘이 생기다.

다지기 아래 문장의 빈칸에 알맞은 낱말을 보기 에서 찾아 알맞게 고쳐 쓰세요.

보기
철들다　　　철없다　　　열없다

(1) 나이가 사람을 □□□ 하는 것만은 아닌 것 같다.

(2) 아무리 집 안으로 들어오라고 해도 □□□ 얼굴로 머뭇거리고 서 있다.

(3) 덤벙대고 까불고 □□□ 녀석이라면서 엄마는 나를 항상 나무라신다.

넓히기 다음 한자어의 구성과 뜻을 알아보고, 빈칸에 알맞은 한자어를 쓰세요.

- **미숙**(未 아닐 미. 熟 익을 숙.) 열매나 음식이 아직 익지 않은 상태. 일 따위에 익숙하지 못하여 서툼.
- **조숙**(早 이를 조. 熟 익을 숙.) 식물의 열매가 일찍 익다. 나이에 비하여 정신적·육체적으로 발달이 빠름.
- **완숙**(完 완전할 완. 熟 익을 숙.) 열매 따위가 완전히 무르익음. 사람이나 동물이 완전히 성숙한 상태.

(1) 나이 서른이 넘어서더니 말과 행동이 나무랄 데 없이 □□ 하다.

(2) 소년은 나이도 어리고 기술을 배운 지 얼마 되지 않아서 일에 □□ 하다.

(3) 그 아이는 이제 여덟 살이지만 대단히 총명하고 어른처럼 □□ 하다.

7주
35
회

해설편
18쪽

시간 공부 날짜 □ 월 □ 일
푸는데 걸린 시간 □ 분

확인 맞은 개수 써보기

독해	□ 개 / 7개	어휘	□ 개 / 9개

어휘·어법 총정리

어휘 보기의 낱말을 보고, 뜻과 어울리는 것을 골라 아래의 빈칸에 써보세요.

> **보기** 등교 토의 허송세월하다 차등 민주주의 구분 분류 협곡

1. 성질이 같은 것끼리 나누어 묶음.

2. 국민이 권력을 가지고 그 권력을 스스로 행사하는 제도. 또는 그런 정치를 지향하는 사상.

3. 험하고 좁은 골짜기.

4. 학생이 학교에 감.

5. 어떤 문제에 대하여 검토하고 협의함.

6. 일정한 기준에 따라 전체를 몇 개로 잘라 나눔.

7. 하는 일 없이 세월만 헛되이 보내다.

8. 고르거나 가지런하지 않고 차별이 있음. 또는 그렇게 대함.

어법 다음 중 맞춤법에 맞는 것을 골라 동그라미 하세요.

1. 장난을 치기 [일수 / 일쑤]다.

2. 안 가는 게 [낮겠다 / 낫겠다].

3. [끈임없는 / 끊임없는] 노력

4. [솥뚜껑 / 솥두껑]을 열어보아라.

5. 불을 [집펴야 / 지펴야] 한다.

6. [왠지 / 웬지] 울적하다.

7. [철없는 / 철엎는] 소리

8. [열없서서 / 열없어서] 웃었다.

확인 **나의 점수 확인하기**

어휘	개 / 8개	어법	개 / 8개

8주차

회차 / 영역	제목	계획 및 점검
36 인문|설명문	**수원 화성** • 나는 [ ]월 [ ]일 [ ]시에 공부할 것입니다.	• 독해력에서 나의 점수는 [ ]점입니다. • 어휘력에서 맞은 문제수는 [ ]개 / 9개 입니다. • 어려웠던 문제는 _____ 번입니다.
37 사회|설명문	**촌락과 날씨** • 나는 [ ]월 [ ]일 [ ]시에 공부할 것입니다.	• 독해력에서 나의 점수는 [ ]점입니다. • 어휘력에서 맞은 문제수는 [ ]개 / 8개 입니다. • 어려웠던 문제는 _____ 번입니다.
38 과학|설명문	**공기의 과학** • 나는 [ ]월 [ ]일 [ ]시에 공부할 것입니다.	• 독해력에서 나의 점수는 [ ]점입니다. • 어휘력에서 맞은 문제수는 [ ]개 / 7개 입니다. • 어려웠던 문제는 _____ 번입니다.
39 산문문학|이야기	**가난한 사람들의 아버지** • 나는 [ ]월 [ ]일 [ ]시에 공부할 것입니다.	• 독해력에서 나의 점수는 [ ]점입니다. • 어휘력에서 맞은 문제수는 [ ]개 / 8개 입니다. • 어려웠던 문제는 _____ 번입니다.
40 운문문학|시	**거미의 장난** • 나는 [ ]월 [ ]일 [ ]시에 공부할 것입니다.	• 독해력에서 나의 점수는 [ ]점입니다. • 어휘력에서 맞은 문제수는 [ ]개 / 8개 입니다. • 어려웠던 문제는 _____ 번입니다.

• 이번 주 독해력 문제에서 나의 점수는 평균 [ ]점입니다.

• 이번 주 어휘력에서 맞은 문제수는 모두 [ ]개입니다.

이야기로 꾸며서 어떤 일을 설명하면 어떤 효과가 있을까요? 흥미를 불러일으키면서 더욱 생생하게 설명한 내용을 쉽게 받아들이도록 합니다. 더욱이 설명하는 쪽이 몇 백 년 전에 살았고 듣는 쪽이 오늘날 살고 있다면, 흥미와 생생함이 훨씬 더해질 거예요.

 1. 15점 2. 10점 3. 15점 4. 15점 5. 15점 6. 15점 7. 15점

"여기가 어디지? 저 사람들은 다 뭐야?"

유진이가 물었어요. 한국이는 주변을 두리번거렸지요. 책에서 본 것도 같은데 생각이 날 듯 말 듯 아리송했어요.

바로 그때였어요. 사람들이 ㉠한목소리로 우렁차게 외쳤어요.

"만세, 끝이다! 만세!" / "드디어 완성이야! 정조 임금님 만세! 정약용 만세!"

그 순간 한국이의 귀가 번쩍 뜨였어요. 머릿속에 번개같이 스치는 생각이 있었지요. 한국이는 재빨리 말했어요.

"정조 대왕과 정약용……. 그러면 이 성은……. 그래, 맞아! 여기는 수원 화성이야!"

"정말 확실해? 얼마 전에 소풍 갔던 남한산성이랑 똑같은 것 같은데."

세계의 말에 한국이가 따지듯 말했어요.

"네 눈에는 그렇겠지. 하지만 수원 화성은 엄연히 다른 곳이야. 동서양의 문화와 기술이 조화를 잘 이룬 조선 후기 건축의 백미라고!"

㉡백미는 흰쌀이 아니라 여럿 가운데 가장 뛰어난 것을 말해요.

"그런데 우리나라에는 성이 많잖아요. 굳이 수원 화성이 세계문화유산으로 선정된 이유가 있나요?"

유진이의 질문은 꽤 날카로웠어요. 문화 해설사 아저씨께서 다시 설명하셨어요.

"좋은 질문이구나. 수원 화성은 기본적으로 적을 공격하고 감시하는 시설을 갖추었을 뿐만 아니라 성에 사는 백성을 위하여 전국 각지로 통하는 길을 내었단다. 또, 큰 규모의 시장도 열게 했지. 게다가 자연을 파괴하는 대신 오히려 자연 그대로의 특징을 이용해서 성을 지었지. 산의 지형에 따라 성곽의 높이를 잘 조절했………으악!"

문화 해설사 아저씨께서는 갑자기 다가오던 사람과 그만 꽝하고 부딪히고 말았어요.

"이보시오. 앞을 잘 보고 다녀야지! 눈이라도 다쳤으면 어쩔 뻔했소. 하마터면 내 생에 최고의 작품인 이 성을 못 볼 뻔하지 않았소!"

그 남자의 말에 한국이가 펄쩍 뛰며 말했어요.

"호, 혹시 아저씨가 수원 화성을 설계하신 정약용 선생님이세요?"

"호오, 그렇단다. 꼬마야, 너는 누군데 나를 알고 있느냐? 한국이가 이상한 말을 하기 전에 문화 해설사 아저씨께서 재빨리 나서시며 말씀하셨어요.

"어르신, 실은 제가 실학에 관심이 많습니다. 괜찮으시다면 이 아이들에게 성에 대해 직접 설명해 주시겠습니까?"

"실학에 관심이 있다면야 거절할 수가 없지. 좋소. 나를 따라오시오."

정약용은 앞장서서 걸어갔어요. 그리고는 수원 화성의 장안문에 들어서며 말했어요.

"이 성은 동서양의 건축 방법과 기술을 이용해 지었소. 실학을 잘 이해하고 계신 우리 정조 임금께서 백성이 더욱 살기 좋아지라고 지으신 것이지. 뭐, 물론 아바마마이신 장조(사도세자)의 무덤을 옮기기 위해서였기도 하지만 말이오. 이건 비밀이오만, 당파 싸움을 일삼는 신하들을 견제하고 왕권을 강화하려는 목적도 있었소."

세계가 궁금해하며 물었어요.

"아저씨, 이 성 진짜 큰데요. 다 짓는 데 대체 얼마나 걸렸어요?"

"재작년 1월부터 공사를 시작했고, 지금이 1796년 9월경이니 약 2년 9개월 정도 걸린 것 같구나." / "말도 안 돼! 그렇게 빨리 끝났다고요?"

"허허허, 그렇단다. 그게 다 거중기와 녹로❶ 덕분이지. 거중기는 도르래를 사용한 장비인데, 무거운 돌들을 나르는 데 큰 도움을 주었단다.

---

 ❶ 녹로 높은 곳이나 먼 곳으로 무엇을 달아 올리거나 끌어당길 때 쓰는 도르래.

1 글을 통해 전달하고자 한 중심 내용은 무엇입니까? ──────────────── ( )

주제찾기
① 수원 화성이 있는 곳　　　　　② 수원 화성에서 만난 사람
③ 수원 화성과 관련된 역사의 사실　④ 수원 화성이 지어지기까지 여러 과정
⑤ 수원 화성이 세계문화유산이 될 수 있었던 이유

2 이야기로 꾸며 설명의 대상으로 삼은 것은 무엇입니까?

글감찾기
⇨ ☐ ☐ ☐ ☐

3

사실이해

글에 등장하는 정약용의 말에 따를 때, 정조 대왕이 수원 화성을 지은 목적이 <u>아닌</u> 것은 어느 것인가요? ·· (   )

① 백성이 살기 좋으라고　　　　　② 왕권을 강화하기 위해

③ 사도세자의 무덤을 옮기기 위해　④ 어머니 혜경궁 홍씨를 위로하기 위해

⑤ 당파싸움을 일삼는 신하들을 견제하기 위해

4

미루어알기

글에 따르면 수원 화성을 짓기 시작한 것은 언제인가요? ············· (   )

① 1794년　　　　　② 1795년　　　　　③ 1796년

④ 1797년　　　　　⑤ 1798년

5

세부내용

㉠과 같은 쓰임새를 지니고 있는 '한'이 있는 낱말에 ◯표 하세요.

한가운데　　한집안　　한가지　　한세상　　한낮

6

적용하기

'백미'가 ㉡과 같은 뜻으로 사용된 문장은 어느 것입니까? ············ (   )

① 유일한 남자인 그가 백미이다.　② 한글은 세상의 문자 중 백미이다.

③ 너보다는 내 성격이 더 백미이다.　④ 사람들은 저마다 백미를 내세웠다.

⑤ 사랑은 사람의 감정을 백미로 드러낸다.

7

요약하기

글의 주요 내용을 아래에서 간추려보았습니다. 빈칸을 채워 완성하세요.

제목	수원 화성
유네스코 세계문화유산이 된 이유	적을 막는 일과 ① ☐☐ 의 삶을 좋게 하는 데 두루 도움을 줌. ② ☐☐ 그대로의 특징을 이용.
정조가 성을 지은 목적	③ ☐☐ 에 바탕을 두어 백성을 잘 살게 함. 신하들은 견제하고 ④ ☐☐ 을 강화하려 함.

어휘학습

뜻 낱말의 뜻풀이로 알맞은 것을 보기 에서 골라 괄호 안에 기호를 쓰세요.

(1) 들리다 (   )

(2) 뜨이다 (   )

(3) 트이다 (   )

보기
- ㉠ 막혀 있던 것이 치워지고 통하게 되다.
- ㉡ 사람이나 동물의 감각 기관을 통해 소리가 알아차려지다.
- ㉢ 감았던 눈이 벌려지다.

다지기 보기 의 낱말을 사용하여 다음 문장의 빈칸을 채우세요.

보기
뜨였는   들렸는   트이는

(1) 과연 공양미 삼백 석에 심봉사의 눈이 [   ][   ][   ]지 궁금하다.

(2) 밤에 살금살금 발소리가 [   ][   ][   ]지 엄마가 방에서 나오셨다.

(3) 드디어 거래의 물꼬가 [   ][   ][   ]지 주문이 들어오기 시작했다.

넓히기 다음 한자어의 구성과 뜻을 알아보고, 빈칸에 알맞은 한자어를 쓰세요.

- **결백**(潔 깨끗할 결. 白 흰 백.) 깨끗하고 흼. 행동이나 마음씨가 깨끗하여 아무 허물이 없음.
- **고백**(告 고할 고. 白 흰 백.) 마음속에 생각하고 있는 것이나 감추어 둔 것을 사실대로 숨김없이 말함.
- **독백**(獨 홀로 독. 白 흰 백.) 혼자서 중얼거림. 배우가 상대역 없이 혼자 말하는 행위. 또는 그런 대사.

(1) 이 책은 한 배우의 자전적 [   ][   ]이나 다름없다.

(2) 그는 자신의 [   ][   ]을 주장했지만 그럴 만한 증거는 없었다.

(3) 혼자 있는 시간이 많아지니 [   ][   ]이 늘어났다.

시간 공부 날짜 [   ]월 [   ]일

푸는데 걸린 시간 [   ]분

확인 맞은 개수 써보기

| 독해 | [   ]개/7개 | 어휘 | [   ]개/9개 |

해설편 18쪽

37

글의 첫 문단에 '~를/을 알아볼까요?'라는 문장이 나오면 설명문이에요. 이 문장은 글을 읽는 데 길잡이가 되어줘요. 어떤 내용을 다룰지 약속을 하는 것이거든요. 예를 들어, '날씨가 촌락 생활에 미치는 영향을 알아볼까요?'라는 문장이 나왔다면, 글의 중심 내용이 '날씨가 촌락 생활에 미치는 영향'이 될 수밖에 없어요.

점수 계산 1. 15점 2. 15점 3. 10점 4. 15점 5. 15점 6. 15점 7. 15점

그날그날의 비, 구름, 바람, 기온 등이 나타나는 기상 상태를 날씨라고 합니다. 주로 농사를 짓고 평평한 곳에 자리 잡은 ㉠농촌, 바닷가에 자리 잡은 ㉡어촌, 산속에 자리 잡은 ㉢산지촌 등의 촌락은 날씨의 영향을 많이 받습니다. 촌락마다 자연환경이 달라서 자연환경을 이용한 생산 활동도 달라지지만, 어떤 곳이든 날씨의 영향을 받지 않을 수 없습니다. 그래서 촌락의 사람들은 늘 날씨의 변화에 큰 관심을 둡니다. 날씨가 촌락 생활에 미치는 영향을 알아볼까요?

농촌에서는 농업이나 원예업이 주된 산업인데, 날씨는 농작물이 자라는 데 직접적인 영향을 줍니다. 가뭄, 홍수, 한파, 폭설 등의 자연재해는 농작물에 직접적인 피해를 줍니다. 어촌에서는 어업과 양식업, 염전 등이 발달하였습니다. 어부들은 날씨에 따라 고기잡이를 하지 못하는 경우가 있습니다. 태풍이나 높은 파도가 치면 어부들과 어선의 안전을 위협하므로 고기잡이가 어려워집니다. 또 강풍이 불면 양식장이 큰 피해를 보기도 합니다. 산지촌에서는 임산 가공업, 관광업 등이 발달해 있습니다. 폭우, 태풍 등으로 인해 산사태가 발생하여 사람의 목숨과 재산에 막대한 피해를 줄 수 있습니다.

이처럼 날씨는 촌락의 생산 활동과 사람들의 안전과 밀접하게 관련되어 있으므로 촌락에서는 날씨를 매우 중요하게 여깁니다. 날씨의 영향을 피할 수 없더라도 피해를 줄이기 위해 농촌에서는 저수지를 수리하고 강의 제방을 튼튼하게 하여서 대비합니다. 어촌에서는 방파제를 쌓거나 수리하고, 산지촌에서는 사방공사를 하는 등 대비의 노력을 게을리하지 않습니다. 또 농촌에서는 기우제, 어촌에서는 풍어제, 산지촌에서는 산신제를 지내며 촌락 사람들의 안전을 기원하는 모습을 지금도 볼 수 있습니다.

1
주제찾기

글의 주제로 알맞은 것은 무엇입니까? ──────────── (   )

① 날씨와 생활
② 농촌의 자연재해
③ 자연환경과 생산 활동
④ 날씨가 촌락에 미치는 영향
⑤ 자연재해가 농작물에 주는 피해

2
글감찾기

글감이 된 낱말 2개를 글에서 찾아 쓰세요.

(   )

3
사실이해

날씨의 구성 요소로 글에 나타나지 않은 것은 무엇입니까? ──────────── (   )

① 비
② 바람
③ 구름
④ 온도
⑤ 습도

4
미루어알기

글을 읽고 떠올릴 수 있는 내용은 어느 것입니까? ──────────── (   )

① 어촌에서 농사를 짓는다.
② 촌락은 날씨의 영향을 안 받는다.
③ 농촌에는 양식업, 염전 등이 많다.
④ 강풍이 계속 불면 산사태가 발생한다.
⑤ 날씨의 피해를 줄이려 미신에 의존하기도 한다.

5

세부내용

㉠, ㉡, ㉢을 아우를 수 있는 낱말을 글에서 찾아 쓰세요.

(   )

6

적용하기

비닐하우스를 지어 농사를 짓는 까닭은 무엇일까요? ──────── (   )

① 밀물을 막을 수 있기 때문에

② 추위를 피할 수 있기 때문에

③ 폭설을 막을 수 있기 때문에

④ 비와 바람을 피할 수 있기 때문에

⑤ 날씨의 영향을 줄일 수 있기 때문에

7

요약하기

글의 주된 내용을 전개된 방식에 따라 표로 정리했습니다. 알맞은 낱말로 빈칸을 채우세요.

	주요 산업	피해 요인
농촌	① ☐☐, 원예업	가뭄, ② ☐☐, 폭설, 한파
어촌	③ ☐☐, 양식업, 염전	④ ☐☐, 높은 파도
산지촌	임산 가공업, ⑤ ☐☐☐	태풍, ⑥ ☐☐

어휘학습

뜻 낱말의 뜻풀이로 알맞은 것을 보기 에서 골라 괄호 안에 기호를 쓰세요.

(1) 다르다 (　　　)
(2) 틀리다 (　　　)

> **보기**
> ㉠ 셈이나 사실 따위가 그르게 되거나 어긋나다.
> ㉡ 비교되는 두 대상이 서로 같지 아니하다. '차이(差異)', '구별(區別)'의 뜻이 배어있을 때 사용.

다지기 글의 내용으로 보아 옳은 낱말에 동그라미 하세요.

(1) 내가 달라고 했던 것과 [틀린 / 다른] 건데요, 다시 찾아주세요.

(2) 하도 [틀린 / 다른] 문제가 많아서 세기도 귀찮다.

(3) 내 생각은 너와는 [틀려 / 달라].

넓히기 다음 한자어의 구성과 뜻을 알아보고, 빈칸에 알맞은 한자어를 쓰세요.

> • **홍수**(洪 넓을 홍. 水 물 수.) 비가 많이 와서 강이나 개천에 갑자기 크게 불은 물. 사람이나 사물이 많이 쏟아져 나옴을 비유적으로 이르는 말.
> • **호수**(湖 호수 호. 水 물 수.) 땅이 우묵하게 파여 못이나 늪보다 깊고 넓게 물이 괴어 있는 곳.
> • **향수**(香 향기 향. 水 물 수.) 화장품의 하나. 알코올에 향료를 섞어 만든 향기로운 액체.
> • **수영**(水 물 수. 泳 헤엄칠 영.) 물속에서 헤엄침.

(1) 작년에 할머니 댁 근처 [　　][　　]에 물놀이를 갔다가, 물에 빠져 큰일이 날 뻔했다. 왜냐하면 나는 [　　][　　]을 못했기 때문이다.

(2) 선생님에게서는 좋은 [　　][　　] 냄새가 난다.

(3) 정보의 [　　][　　] 속에, 수많은 정보가 정신을 차리기 어려울 만큼 쏟아지고 있다.

8주 37회

해설편 19쪽

38

 지구를 둘러싼 대기의 하층부를 구성하는 색깔이 없고, 냄새도 없는 투명한 기체가 '공기'예요. 공기는 산소와 질소가 약 1 대 4의 비율로 혼합된 것을 주성분으로 하며, 그 밖에 소량의 아르곤·헬륨 따위의 활동성이 없는 가스와 이산화탄소를 포함하고 있어요.

 1. 15점 2. 15점 3. 15점 4. 15점 5. 10점 6. 15점 7. 15점

공기가 공간을 차지하지 않는다면 고무풍선이나 튜브, 구명조끼는 부풀어 오르지 않을 것입니다. 우리 눈에 보이지 않지만 공기는 공간을 차지하고 있으며, 공기가 차지하는 공간은 공기를 담는 그릇의 모양과 같습니다. 공기는 생물이 살아가는 데 필요한 산소를 공급하는가 하면 지표면❶에서 나오는 열이 우주로 흩어져 나가는 것을 막아 지구의 온도를 일정하게 유지해 줍니다. 그런가 하면 운석❷이 지표면에 그대로 떨어져 피해를 주는 것을 막아주기도 하면서 지구의 생명체를 보호해 줍니다.

지구 주위는 공기로 둘러싸여 있고, 지구 표면에서 멀어질수록 공기의 양은 점점 적어지지요. 물론 지구 밖으로 나가면 공기는 없어집니다. 이렇게 지구 주위에 공기가 있는 공간을 '대기권'이라고 하는데, 이 ㉠대기권은 네 개의 층으로 나뉘어요. 그 네 개의 층 안에 바로 '오존층'이라는 것이 있어요. ㉡오존층은 태양으로부터 오는 자외선을 막아주는 역할을 해요. 자외선이 지구에 도달하여 지나치게 우리의 피부에 많이 쬐면 큰 병을 일으킬 수 있답니다.

달에서 찍은 사진을 보면 하늘이 밤과 같이 어두워 보여요. 반면에 지구의 하늘은 파란색으로 보이지요. 달 사진을 밤에만 찍는 것은 아닌데, 왜 지구의 하늘만 파랗게 보일까요? 그 까닭은 지구에는 공기가 있기 때문이에요. 태양에서 나온 빛은 우리 눈에 들어오기 전에 공기층에 부딪히게 돼요. 이때 햇빛을 이루고 있는 여러 가지 색 중 파란색과 보라색이 사방으로 잘 퍼져서 우리 눈에 들어오지요. 그런데 우리 눈은 보랏빛에 별로 민감하지 않아서 하늘이 파랗게 보이는 것이랍니다. 그럼 저녁노을은 왜 붉은색으로 보일까요? 이것은 해가 지면서 햇빛이 공기층을 지나는 거리가 멀어지게 되는데, 이때 파란색이나 보라색 빛은 공기 중에 흩어지고 붉은색 빛이 우리 눈에 들어오기 때문이랍니다.

---

 ❶ 지표면 지구의 표면. 또는 땅의 겉면. ❷ 운석 지구에 떨어진 별똥. 대기 중에 돌입한 유성(流星)이 다 타버리지 않고 땅에 떨어진 것으로, 철·니켈 합금과 규산염 광물이 주성분이다.

1 글 전체의 내용을 한 문장으로 간추릴 때 들어가지 <u>않아도</u> 될 낱말은 어느 것입니까?

주제찾기 ⎯⎯⎯⎯⎯⎯⎯⎯⎯⎯⎯⎯⎯⎯⎯⎯⎯⎯⎯⎯⎯⎯⎯⎯⎯⎯⎯ (   )

① 생물
② 우주
③ 지구
④ 햇빛
⑤ 조절

2 글에 붙일 알맞은 제목이 되도록 빈칸을 낱말로 채우세요.

제목찾기

┌───┐
│   □ □ 의 과학   │
└───┘

3 글에서 다루지 <u>않은</u> 내용은 어느 것입니까? ⎯⎯⎯⎯⎯⎯⎯⎯ (   )

사실이해

① 공기는 공간을 차지한다.
② 공기에는 산소가 포함되어 있다.
③ 공중으로 올라갈수록 공기가 적어진다.
④ 햇빛은 한 개의 색만 가지고 있다.
⑤ 대기권 안에 오존층이 있다.

4 글을 읽고 내린 판단으로 바른 것은 어느 것입니까? ⎯⎯⎯⎯⎯⎯ (   )

미루어알기

① 우주 공간에는 공기가 없다.
② 공기의 색은 원래 파란색이다.
③ 자외선을 막으면 질병에 걸리지 않는다.
④ 지구의 공기를 담을 수 있는 그릇을 만들 수 있다.
⑤ 저녁과 달리 새벽부터 아침까지는 하늘이 파랗게 보인다.

5 세부내용

㉠과 ㉡의 관계를 알맞게 설명한 것은 어느 것입니까? ⋯⋯⋯⋯⋯⋯ (   )

① ㉠과 ㉡은 형제와 같다.

② ㉠에서 ㉡이 만들어졌다.

③ ㉠은 ㉡을 대신할 수 있다.

④ ㉡은 ㉠을 구성하는 요소이다.

⑤ ㉡이 없어지면 ㉠도 즉시 없어진다.

6 적용하기

글의 내용에 따라 아래와 같은 가정을 해보았을 때, 빈칸에 알맞은 낱말을 쓰세요.

> 공기가 없다면,
> 아무리 가뭄이 계속되더라도 구름이 생기지 않고,
> 비도 오지 않을 것입니다.
> 낮이 되었는데도 [ ][ ] 하늘을 볼 수 없습니다.

7 요약하기

글의 주요 내용을 몇 개의 문장으로 요약했습니다. 빈칸을 채우세요.

> 공기는 일정한 ① [ ][ ] 을 차지하면서 지구에 사는 ② [ ][ ]
> 과 지구의 자연에 중요한 기능을 수행합니다. 산소를 공급하고, 열이 지구 밖
> 으로 흩어지거나 운석이 떨어져서 입을 피해를 막아줍니다. 또 지구로 오는 ③
> [ ][ ] 을 굴절, 산란시켜 특별한 색깔만 볼 수 있도록 해 줍니다.

뜻 낱말의 뜻풀이로 알맞은 것을 보기 에서 골라 괄호 안에 기호를 쓰세요.

(1) 싸이다 (　　　)
(2) 쌓이다 (　　　)

보기
ㄱ 물건이 보이지 않게 씌워져 가려지거나 둘려 말리다. '싸다'에 '이'를 끼워 넣어 만든 말.
ㄴ 여러 개의 물건이 겹겹이 포개어 얹어 놓이다. '쌓다'에 '이'를 끼워 넣어 만든 말.

다지기 위의 낱말들 중 하나를 골라 알맞게 꼴바꿈하여 아래의 빈칸에 넣으세요.

(1) 지구의 주위는 공기에 의해 공 모양으로 [　][　][　] 생물이 보호받고 있다.

(2) 겨울 동안 내린 눈이 [　][　][　] 산은 기슭에서 꼭대기까지 하얗게 덮였다.

넓히기 다음 한자어의 구성과 뜻을 알아보고, 빈칸에 알맞은 한자어를 쓰세요.

- **반사(反** 돌이킬 반. **射** 쏠 사.**)** 빛이나 전파 따위가 어떤 물체의 표면에 부딪쳐 되돌아가는 현상. 사람 또는 동물이 자극에 대하여 의식 작용과는 관계없이 기계적으로 일어나는 반응.
- **반대(反** 돌이킬 반. **對** 대할 대.**)** 두 사물이 모양, 위치, 방향, 순서 따위에서 등지거나 서로 맞섬. 또는 그런 상태. 어떤 행동이나 견해, 제안 따위에 따르지 아니하고 맞서 거스름.
- **반성(反** 돌이킬 반. **省** 살필 성.**)** 자신의 언행에 대하여 잘못이나 부족함이 없는지 돌이켜 봄.

(1) 사사건건 [　][　]만 하지 말고, 의견 좀 내봐!

(2) 일기쓰기는 귀찮지만 하루의 일을 돌아보는 [　][　]의 시간이 되어서 좋다.

(3) 밤에 몰래 컴퓨터를 했더니 화면 빛 [　][　]로 시력이 안 좋아졌다.

8주 38회

해설편 19쪽

시간 공부 날짜 [　] 월 [　] 일
푸는데 걸린 시간 [　] 분

확인 맞은 개수 써보기
독해 [　] 개 / 7개
어휘 [　] 개 / 7개

39

점수
계산   1. [15점] 2. [15점] 3. [10점] 4. [15점] 5. [15점] 6. [15점] 7. [15점]

바다가 훤히 보이는 4층짜리 복음병원 안에서 장기려는 항상 종종걸음을 쳤습니다. 몰려드는 환자가 워낙 많다 보니 끼니도 거르기 일쑤였습니다.

하지만 환자가 아무리 넘쳐나도 병원의 경제 사정은 마찬가지였습니다. 환자들에게 돈을 조금 받기는 하였지만 큰 수술 환자가 많은 데다가 가난한 장기 입원환자가 많아 적자를 벗어나지 못하였습니다. 사정이 이렇다 보니 극빈자 증명서를 가지고 온 사람만이 무료 진료를 받을 수 있게 하였습니다.

장기려는 환자들에게 돈을 받는다는 게 속상하였습니다. 극빈자가 아니더라도 하루 벌어 하루 먹고 사는 노동자들이 환자의 대부분이었기 때문입니다.

"박사님, 귀에서 '위잉' 하는 소리가 들리고 앞이 어뜩어뜩한 게 정신이 하나도 없습니다. 게다가 자꾸 몸이 처지는 게 이상해요."

장기려는 환자의 얼굴을 바라보았습니다. 피골이 상접한 얼굴에서 가난이 줄줄 흘렀습니다. 청진기를 대어 본 환자 가슴도 뼈만 앙상하였습니다.

"처방전을 써 줄 테니 의국으로 가세요."

장기려는 환자에게 처방전을 건네주었습니다.

㉠환자에게 닭을 두 마리 살 수 있는 돈을 주시오.

풀뿌리와 나무껍질로 명줄을 겨우 이어 가던 환자를 살릴 수 있는 것은 충분한 영양분이었던 것입니다.

또 하루는 이런 일도 있었습니다. 몸이 다 나아 퇴원해도 되는 환자가 원장실 문 앞에서 들어오지 못한 채 쭈뼛쭈뼛하고 있었습니다.

"왜 여태 퇴원 안 하셨어요?" / 그러자 환자는 눈물을 글썽이며 사정을 말하였습니다.

"지금 입원비를 못 내서 퇴원을 못 하고 있습니다."

장기려는 직원들의 몰인정에 화가 났습니다. 그래서 담당 직원을 불러 호통을 쳤습니다.

"환자가 입원비를 못 내는 거지, 안 내는 거요? 우리가 언제부터 돈 있는 환자만 받았단 말이오? 일단 사람은 살게 해 주고 돈 있으면 내고, 없으면 못 낼 수도 있는 거지, 입원비를 못 받았다고 환자를 병원에 묶어 놓는다는 게 말이 되느냐 말이오."

"병원 살림이 하도 어려워서……." / 담당 직원은 우물우물하며 말끝을 흐렸습니다. 장기려는 입원비를 못 내는 환자를 불러 나직이 말하였습니다.

"여보시오. 그냥 도망 빼시오. 우리 병원 앞뒤를 보세요. 울타리가 어딨어요? 해 지면 그냥 도망 빼시오. 나중에 혹시 누구한테 잡히면 원장이 도망가라고 하더라고 말하시오." / 환자는 귀를 의심하였습니다. 의사가 병을 낫게 해 준 것도 모자라 병원비도 내지 말고 도망을 가라니 (㉡).

"감사합니다, 감사합니다. 언젠가는 이 은혜를 꼭 갚겠습니다."

장기려는 자신을 보고 연거푸 고개를 조아리는 환자를 위하여 뒷문을 열어 주며 망을 봐 주기도 하였습니다. 이런 원장이 병원 입장에서는 아무리 봐도 골칫거리였습니다. 마음이 좋아 환자들한테 인심을 쓰다 보니 병원의 큰살림을 꾸려가기가 여간 힘든 게 아니었습니다.

1

주제찾기

글에서 어떤 삶을 두드러지게 드러내었습니까? ────────── (   )

① 이웃을 사랑하는 삶
② 가르침을 베푸는 삶
③ 사회 복지를 실천하는 삶
④ 남을 위해 봉사하고 희생하는 삶
⑤ 국가와 민족의 번영을 위해 헌신하는 삶

2

제목찾기

빈칸에 말을 넣어 글의 내용에 어울리는 제목을 붙이세요.

| | | | 사람들의 아버지 |

3

사실이해

글의 내용과 거리가 먼 것은 어느 것인가요? ────────── (   )

① 장기려는 끼니를 자주 걸렀다.
② 가난한 환자들에게 치료비를 받지 않으려 했다.
③ 장기려의 병원에는 가난한 사람들이 많이 왔다.
④ 장기려는 직원들이 정직하지 않다고 해서 화를 내었다.
⑤ 장기려는 입원비를 못 내는 환자를 불러 도망가라고 일러주었다.

해설편 20쪽

4
미루어알기

㉠과 같은 처방전을 써준 까닭은 무엇인가요? ·················· (　　)

① 환자가 영양실조에 걸려 있어서
② 보통의 약으로 듣지 않을 것 같아서
③ 닭이 약의 효능을 높여줄 수 있을 것 같아서
④ 환자가 돈으로 필요한 약을 살 수 있을 것 같아서
⑤ 지금 나와 있는 약으로는 치료가 불가능한 병이어서

5
세부내용

㉡에 알맞은 말은 어느 것입니까? ·················· (　　)

① 두려워 떨었지요.　　　　　② 어안이 벙벙하였지요.
③ 머리를 들지 못하였지요.　　④ 당장 도망을 빼고 싶었지요.
⑤ 감사하다는 말을 하고 싶었지요.

6
적용하기

글을 읽은 후의 반응으로 가장 바람직한 것을 고르세요. ·················· (　　)

① 연설을 잘하여 유명한 정치인이 되겠다.
② 탐구 생활을 열심히 해 최고의 과학자가 되겠다.
③ 야구를 뛰어나게 잘하여 유명한 프로 선수가 되겠다.
④ 작은 일부터 실천하여 어려운 이웃을 돕는 사람이 되겠다.
⑤ 단체를 조직하여 이웃에 이익을 주는 데 앞장서는 사람이 되겠다.

7
요약하기

글을 읽고 나서 떠올린 생각을 중심으로 하여 쓴 감상문입니다. 빈칸에 알맞은 말을 쓰세요.

> 장기려 박사에 대한 일화가 그의 말과 행동에 의해 생생하게 그려졌습니다. 이를 통해 그의 ①□□과 사람 됨됨이를 떠올릴 수 있었습니다. 가난한 사람들의 아버지로서 평생 희생하고 ②□□하는 삶을 살았던 장기려 박사의 정신을 본받고 싶습니다.

어휘학습

뜻 낱말의 뜻풀이로 알맞은 것을 보기 에서 골라 괄호 안에 기호를 쓰세요.

(1) 뒷길 (   )

(2) 뒷문 (   )

(3) 뒷손 (   )

보기
㉠ 일을 마친 뒤에 다시 하는 손질. 몰래 또는 뒤에서 손을 써서 하는 일.
㉡ 집채나 마을의 뒤에 있는 길. 떳떳하지 못하고 정상적이지 않은 수단이나 방법.
㉢ 뒤나 옆으로 난 문. 바르지 못한 방법이나 수단.

다지기 위의 낱말 중 알맞은 것을 아래의 빈칸에 넣으세요.

(1) 지각한 학생이 아이들 눈을 피해 교실 [ ][ ]으로 슬며시 들어왔다.

(2) 눈코 뜰 새 없이 바빠서 [ ][ ]이 가는 일은 도저히 할 수 없다.

(3) 실력으로는 이길 수 없으니까 [ ][ ]을 통해 게임을 따내려 했다.

넓히기 다음 한자어의 구성과 뜻을 알아보고, 빈칸에 알맞은 한자어를 쓰세요.

• 극빈자(極 극진할 극. 貧 가난할 빈. 者 사람 자.) 매우 가난한 사람.
• 노동자(勞 일할 노. 動 움직일 동. 者 사람 자.) 일을 하여 그 대가를 받아 살아가는 사람.

(1) 집도 가족도 없이 길거리에서 떠도는 [ ][ ][ ]를 위한 시설을 세우다.

(2) 계속적인 비에 공사판의 [ ][ ][ ]들은 며칠째 일을 못하고 있다.

8주
39
회

해설편
20쪽

시간 공부 날짜 [ ]월 [ ]일   푸는데 걸린 시간 [ ]분

확인 맞은 개수 써보기

독해	[ ]개/7개	어휘	[ ]개/8개

시에서 사람 아닌 것을 사람처럼 꾸며 나타낼 때는, 대개 그것을 통해 시에서 말하는 사람의 느낌이나 생각을 대신 드러내도록 해요. 그런데 어떤 시에서는 사람처럼 꾸며놓고 그것을 통해 말하는 사람의 느낌이나 생각을 드러내기도 해요.

점수 계산 1. 15점 2. 15점 3. 10점 4. 15점 5. 15점 6. 15점 7. 15점

거미 한 마리

천장에서 뚝 떨어진다

대롱대롱 공중에 매달려

가슴 덜컹하게 한다

저 녀석,

모르나 보다

저처럼 줄에 매달려

빌딩 벽을 청소하는

우리 아빠를

엉덩이가 콩알만 한

저 녀석

아빠 땀방울보다

작은 저 녀석

모르나 보다

저를 보고 놀라는 내 마음도

몰라서

몰라서

장난을 치나 보다

1 시를 통해 전하고 싶어 한 중심 생각은 무엇입니까? ──────── ( )

주제찾기

① 가족의 행복을 도모하는 마음

② 가족의 노력에 대가가 없다는 마음

③ 가족이 처할 위험에 미리 대비하는 마음

④ 가족에 대한 사랑과 노고에 감사하는 마음

⑤ 가족에 대한 이웃사람들의 도움에 감사하는 마음

2 시의 내용에 가장 잘 어울리는 제목을 고르세요. ──────── ( )

제목찾기

① 거미줄

② 거미 한 마리

③ 거미집 짓기

④ 거미의 장난

⑤ 놀라는 내 마음

8
주
40
회

해설편
20쪽

3 시에서 말하는 사람이 거미를 보고 떠올린 것은 무엇입니까? ──────── ( )

사실이해

① 아빠께서 출근하는 모습

② 아빠께서 장난치시는 모습

③ 아빠께서 빌딩에 올라가시는 모습

④ 아빠께서 줄에 매달려 일하시는 모습

⑤ 아빠께서 빌딩 꼭대기를 바라보시는 모습

4 미루어알기 '거미'에서 '아빠'를 떠올린 까닭은 무엇입니까? ·· (　　)

① 줄에 매달려 있어서　　　　　　② 장난을 치며 놀고 있어서

③ 위험한 상황에 놓여 있어서　　④ '나'를 쳐다보고 있어서

⑤ 아빠를 보고 싶어서

5 세부내용 2연의 '저 녀석'과 '모르나 보다' 사이에 보충할 말로 알맞은 것은 어느 것입니까?
·· (　　)

① '거미 한 마리'　　　　　　② '가슴 덜컹하게'

③ '우리 아빠를'　　　　　　④ '콩알만 한 녀석'

⑤ '아빠 땀방울'

6 적용하기 시에서 말하는 사람이 '거미'를 보고 어떤 감정을 가지게 되나요? ·········· (　　)

① 놀라움　　　　　　② 반가움

③ 고마움　　　　　　④ 두려움

⑤ 그리움

7 요약하기 '거미'와 '아빠'의 비슷한 점과 다른 점을 아래의 표로 정리했습니다. 빈칸에 알맞은 낱말을 넣으세요.

	비슷한 점	다른 점
거미	① [　　]에 매달려 ② [　][　]에 떠 있다.	거미줄에 매달려 ③ [　][　]을 친다.
아빠		④ [　][　]을 위해 빌딩 청소를 하신다.

어휘학습

뜻 낱말의 뜻풀이로 알맞은 것을 보기 에서 골라 괄호 안에 기호를 쓰세요.

(1) 떨어지다 (   )

(2) 매달리다 (   )

보기	㉠ 줄이나 끈, 실 따위에 잡아매여서 달리다.
	㉡ 위에서 아래로 내려지다. 달렸거나 붙었던 것이 갈라지거나 떼어지다.

다지기 위의 낱말 중 알맞은 것을 아래의 빈칸에 넣으세요.

(1) 굵은 빗방울이 머리에 한두 방울씩 ☐☐☐☐.

(2) 청소부가 빌딩 꼭대기에서 드리운 줄에 ☐☐☐☐.

(3) 가슴팍에 착 달라붙어 있던 명찰이 ☐☐☐☐.

넓히기 다음 한자어의 구성과 뜻을 알아보고, 빈칸에 알맞은 한자어를 쓰세요.

- **공중(空** 빌 공. **中** 가운데 중.) 하늘과 땅 사이의 빈 곳.
- **공간(空** 빌 공. **間** 사이 간.) 아무것도 없는 빈 곳. 앞뒤, 좌우, 위아래의 모든 방향으로 널리 퍼져 있는 입체적 범위.
- **공상(空** 빌 공. **想** 생각 상.) 현실적이지 못하거나 실현될 가망이 없는 것을 막연히 그리어 봄. 또는 그런 생각.

(1) 나는 쓸데없는 ☐☐을 하는 데 시간을 많이 보낸다고 혼이 나곤 한다.

(2) ☐☐에 나는 새처럼, 나도 훨훨 날아가고프다.

(3) 화분을 새로 들여, 집의 허전한 ☐☐을 채웠다.

8주 40회

해설편 20쪽

시간 공부 날짜 ☐ 월 ☐ 일

푸는데 걸린 시간 ☐ 분

확인 맞은 개수 써보기

독해	☐개/7개	어휘	☐개/8개

어휘·어법 총정리

어휘

보기의 낱말을 보고, 뜻과 어울리는 것을 골라 아래의 빈칸에 써보세요.

보기 부산스럽다 백미 끼니 한목소리 견제 도르래 사태 호사

1. 경쟁 대상이나 감시 대상이 지나치게 세력을 가지거나 자유롭게 행동하지 못하도록 억누름.

2. 산비탈이나 언덕의 흙더미 또는 쌓인 눈 따위가 비바람이나 충격 따위로 무너져 내려앉는 일.

3. 호화롭게 사치함. 또는 그런 사치.

4. 아침, 점심, 저녁과 같이 하루 세 번 일정한 시간에 먹는 밥. 또는 그 밥을 먹는 일.

5. 여럿 가운데에서 가장 뛰어난 사람이나 훌륭한 물건을 비유적으로 이르는 말.

6. 같은 견해나 사상의 표현을 비유적으로 이르는 말.

7. 보기에 급하게 서두르거나 시끄럽게 떠들어 어수선한 데가 있다.

8. 바퀴에 홈을 파고 줄을 걸어서 돌려 물건을 움직이는 장치. 두레박, 기중기 따위에 이용됨.

어법

다음 중 맞춤법에 맞는 것을 골라 동그라미 하세요.

1. 가방색이 [달라 / 틀려].

2. [부딪힌 / 부딛힌] 곳이 아프다.

3. 옷 [차림새 / 차림세]

4. [재빨리 / 제빨리] 막았다.

5. [제작년 / 재작년]에 만들었다.

6. 숨통이 [트였다 / 틔였다].

7. 안전을 [위엽 / 위협]한다.

8. 침묵에 [싸인 / 쌓인] 순간이었다.

확인

나의 점수 확인하기

어휘	개 / 8개	어법	개 / 8개

평가와 진단하기

1. 각 회차의 유형에 정답을 맞혔으면 'O'표를 틀렸으면 '×'를 하세요.
2. 제재별 '소계'에 유형별로 맞은('O'표) 개수를 쓰세요.
3. 영역별로 맞힌 개수를 적고, 부족한 부분을 파악해 보세요.
4. 많이 틀리는 유형이 한눈에 보이므로 자신의 부족한 부분을 진단하고 보완하세요.

영역	회/주차	1번 (주제찾기)	2번 (제목(글감)찾기)	3번 (사실이해)	4번 (미루어알기)	5번 (세부내용)	6번 (적용하기)	7번 (요약하기)
인문 ( ) /56개	1/01							
	2/06							
	3/11							
	4/16							
	5/21							
	6/26							
	7/31							
	8/36							
	소계	( )/8개	( )/8개	( )/8개	( )/8개	( )/8개	( )/8개	( )/8개
사회 ( ) /56개	1/02							
	2/07							
	3/12							
	4/17							
	5/22							
	6/27							
	7/32							
	8/37							
	소계	( )/8개	( )/8개	( )/8개	( )/8개	( )/8개	( )/8개	( )/8개
과학 ( ) /56개	1/03							
	2/08							
	3/13							
	4/18							
	5/23							
	6/28							
	7/33							
	8/38							
	소계	( )/8개	( )/8개	( )/8개	( )/8개	( )/8개	( )/8개	( )/8개

독해력 키움

초등국어
7가지 비법으로 체계적인 독해력 향상
7유형 독해법

정답 및 해설

KILE 한국학력평가원

1주차

01

전라남도 목포에서는

1 ②　　　2 방언　　　3 ⑤　　　4 ⑤

5 ④　　　6 연필 사러 왔어유.

7 (가) ㉠, (나) ㉢ , (다) ㉡, (라) ㉣, (마) ㉤, (바) ㉥

어휘력 키우기

뜻 (1) 물웅덩이　　(2) 소금쟁이　　(3) 엿장수

다지기 (1) 소금쟁이　　(2) 물웅덩이　　(3) 엿장수

넓히기 (1) 속담　　(2) 비어　　(3) 방언

1. 글을 통해 무엇을 설명하려 했죠. 표준어 사용과 방언의 사용을 모두 보여주는 글이죠.

2. 글에 제목을 만들 수 있는 낱말이 나오지 않아요. 설명한 내용을 읽고 스스로 떠올려야 해요.

3. '-구먼'은 (마)의 충청도 방언에서 쓰입니다.

4. (바)는 제주도 방언인데 뜻을 알아볼 수 없을 만큼 모양의 차이가 심해요.

5. '사투리'는 서울 이외의 지역에서 사용하는 방언이에요. 사투리와 방언을 볼 때 약간의 차이가 있죠. 하지만 사투리를 오래 사용한다고 해서 방언이 되지는 않아요.

6. 먼저 충청도 방언을 사용한 글을 찾으세요. (마)가 충청도 방언을 사용하고 있는 글이니, 이를 활용하여 고치면 되어요.

7. (가)는 표준어로 되어 있으니 서울말이죠.

(나)는 '-다야.', '-래요.'등으로 끝나는 것으로 보아 강원도 방언이며,

(다)는 '니', 준말 '온나', '왔심니더'를 사용하고 있으니 경상도 방언이에요.

(라)는 '다잉', '게요' 등으로 끝나는 말로 보아 전라도 방언이고,

(마)는 '우쩐', '세유' 등으로 보아 충청도 방언이며,

(바)는 외국어처럼 심한 변형이 있으니 제주도 방언이네요.

어휘력 키우기

다지기 (1) 개울에서 달리듯이 기어다니니 '소금쟁이'

(2) 장마철 마을 곳곳에 생긴 것은 '물웅덩이'

(3) '엿장수'는 '소금쟁이'의 방언.

넓히기 (1) 잘못을 저지르지 않도록 깨우쳐 준 말이니까 '속담'

(2) 밝고 건전하게 살아가는 상스러운 말을 사용 않는다.

(3) 표준어가 아닌 말, 특정 지역에서만 쓰는 말.

02

도시의 발달

1 ⑤　　　2 도시　　　3 ④　　　4 ③

5 ①　　　6 ① 낮은, ② 높은

7 ① 수도권, ② 산업, ③ 남동쪽

어휘력 키우기

뜻 (1) ㉡　　(2) ㉠　　(3) ㉣　　(4) ㉢

다지기 (1) ① 많다, ② 적다　　(2) ① 높다, ② 낮다

넓히기 (1) 수도　　(2) 인구　　(3) 도시

1. 이 글은 내용의 범위를 점점 좁혀가서 셋째 문단에서 중심 내용을 드러내고 있어요. 셋째 문단에서 다루어진 내용을 간추리면 글 전체의 중심 내용이 되어요.

도시의 뜻과 특징(1문단)
↓
도시를 정하는 기준(2문단)
↓
우리나라 도시 발달의 특징(3문단)

2. 글의 첫머리에서 뜻을 설명한 낱말이 글감이 된다고 했죠. 이 낱말은 글에서 특징까지 설명했어요.

3. '우리나라는 수도권에 많은 도시가 발달하였는데~'라고 셋째 문단에 고스란히 나오는 내용이에요.

4. 글의 내용에 따르면, 국토의 면적이 넓더라도 인구 밀도가 높은 지역이 있다면 도시가 발달할 수 있죠. 미국은 국토의 면적이 넓지만 인구 밀도가 높은 동부와 서부의 해안 지역에 도시가 발달해 있어요. ④ 셋째 문단에서 1960년대에 비해 도시의 수가 두 배 이상으로 늘어났다고 했어요.

5. 문장의 끝이 '~ 때문이다.'로 되어 있어요. 이 말과 잘 어울리도록 고쳐 쓰면 뜻이 더 명확해지죠.

6. 글의 둘째 문단에서 다룬 내용이에요.

7. 우리나라 도시의 발달 방향은 글의 셋째 문단에 잘 나와 있어요. 여기서 빈칸에 들어갈 낱말을 찾아 쓰세요.

어휘력 키우기

다지기 (1), (2) 앞에서 배운 내용을 떠올려보면 빈칸을 쉽게 채울 수 있을 거예요.

넓히기 (1) 정치, 경제, 문화의 중심이 되는 도시.

(2) 단위 면적당 사는 사람의 많고 적음에 따라 인구 밀도가 '높다, 낮다'라고 해요.

(3) 농산물을 사고 파는 도시가 발달해요.

03 숨 쉬는 그릇, 옹기

1 ②   2 옹기   3 ③   4 ③

5 ④   6 (1) 시루   (2) 항아리

7 ① 천연 재료, ② 발효, ③ 뚝배기, ④ 굴뚝

어휘력 키우기

뜻 (1) ©   (2) ㉠   (3) ㉡

다지기 (1) 시루   (2) 옹기   (3) 뚝배기

넓히기 (1) 용기   (2) 식기   (3) 옹기

1. 옹기의 특징과 용도를 종류별로 자세히 설명하고 있지만 글쓴이가 말하고자 한 중심 내용은 따로 있어요. 첫 문단의 끝 문장에 잘 나타나 있어요.

글감 소개(1문단)
↓
옹기의 뜻과 특징(2, 3문단)
↓
항아리, 뚝배기, 시루, 약탕기, 굴뚝(4, 5, 6, 7, 8문단)
↓
오늘날에도 사랑 받고 있는 옹기(마지막)

2. 항아리, 뚝배기, 시루, 약탕기 등을 모두 아우를 수 있는 이름을 글에서 찾아야 해요.

3. 글에서 그림 그리듯이 그 모양을 설명한 옹기라야 실물을 쉽게 떠올릴 수 있겠죠.
시루는 '바닥에 여러 개의 구멍이 뚫려 있다'고 묘사했습니다.
약탕기는 '주전자와 비슷한 모양'에 '몸뚱이에 손잡이로 쓰는 자루가 달려 있다.'고 하네요.

4. 항아리에 잿물을 바른다는 내용이 보이지 않고, 값에 대한 설명도 없어요.

5. 앞선 구절, '뚝배기는 조리를 마친 뒤에도 그릇 자체가 열을 품고 있기 때문에 높은 온도를 계속 유지할 수 있어'에서 이유를 알 수 있어요.

6. 글에 나온 내용 중, 물음의 아래에 놓인 글과 잘 어울리는 옹기를 찾아봐요.

7. 글에서 설명한 내용을 문단별로 찾아가 다시 확인하면 표의 빈칸에 넣을 낱말을 쉽게 찾을 수 있어요.

어휘력 키우기

다지기 (1) 구멍이 뚫려 있어 떡이나 쌀 따위를 찌거나 콩나물을 키우는 데 쓰는 그릇
(2) 작은 숨구멍이 있어 음식물 따위를 저장하기 좋은 것
(3) 오랫동안 보온성이 있는 조리할 수 있는 그릇

넓히기 (1) '실험실에서 사용할'과 어울리게
(2) 식당 선반에 있는 그릇
(3) 오짓물을 입혀 구운 옹기

04 요술 항아리

1 ④   2 요술 항아리   3 ⑤

4 ⑤   5 ①   6 ④

7 ① 요술 항아리, ② 아버지

어휘력 키우기

뜻 (1) ©   (2) ㉠

다지기 (1) 옹기장이   (2) 욕심쟁이

넓히기 (1) 농악   (2) 농사   (3) 농부

1. 원님에 초점을 맞춰 줄거리를 간추려 봐요. 원님은 농부의 요술 항아리를 빼앗아 자신의 욕심을 채우려다 큰 화를 입게 되어요.

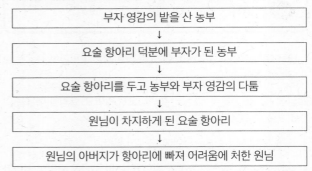

부자 영감의 밭을 산 농부
↓
요술 항아리 덕분에 부자가 된 농부
↓
요술 항아리를 두고 농부와 부자 영감의 다툼
↓
원님이 차지하게 된 요술 항아리
↓
원님의 아버지가 항아리에 빠져 어려움에 처한 원님

2. 농부, 부자 영감, 원님이 서로 차지하려고 하다가 곤란한 지경에 빠지도록 한 물건이죠.

3. 농부는 자신의 노력이 아니라 뜻밖에 얻은 행운으로 부자가 되었어요.

4. 물음 아래에 놓인 결말의 첫머리가 '농부는 원님을 위하여 항아리를 깨어버리기로 결심합니다.'로 되어있음에 바탕을 두고 생략된 줄거리를 떠올려 볼 수 있어요.

5. 옛날부터 전해오는 옛날이야기에서 시간적 배경은 확실하지 않아요. '옛날 옛적에'라는 식이죠.

6. ①, ②, ③, ⑤ 원님이 욕심을 부려 농부와 부자는 포기할 수밖에 없는 마음이 되었다고 했고, 그래서 집으로 돌아갔다고 말하여, 인물의 마음과 사건까지 모두 서술자가 알아서 말했어요.
④ 직접 주인공으로 나오지는 않고, 신과 같은 위치에서 관찰한 것뿐만아니라 모든 주인공의 속마음까지 꿰뚫어 알고 있는 입장입니다.

7. 빈칸 뒤에 있는 말을 보고 글에서 이와 같은 내용이 나온 부분을 찾아가 보세요.

어휘력 키우기

다지기 (1) 직업에는 '-장이'를 붙여요.
(2) 그런 속성이 있는 사람에는 '-쟁이'를 붙여요.

넓히기 (1) '연주'하는 것이니까 '농악'이네요.
(2) 세 가지 농사의 과정이네요.
(3) '젊은' 다음이니까 사람이 들어가야 해요.

05

동그라미표 쌓기

1 ③　　　　2 동그라미표 3 ⑤　　　　4 ④

5 ②　　　　6 ① 동그라미, ② 그림, ③ 노래부르며,

④ 미소　　7 ① 잘한, ② 잘못한

어휘력 키우기

뜻 (1) ⓛ　　　　　　(2) ⊙

다지기 (1) 힘든　　(2) 거든　　(3) 거들게　　(4) 힘들게

넓히기 (1) 악행　　　(2) 선행　　　(3) 비행

1. 잘 "한 일"과 잘못 "한 일" 모두 어떤 일을 행한 것이죠. 그중, 동그라미표 쌓기가 쉽다고 하네요. 그러니까 착한 일을 실천하는 것도 쉬운 일이므로 실천해 보자는 뜻이에요.

2. 마지막 연에서 찾아 빈칸의 수대로 쓰면 되어요.

3. 잘못한 일을 찾아봐요. 2연에서 가위표한 일이 있죠.

4. ①, ②, ③, ⑤는 생각을 말하고 있고, ④만 경험을 말하고 있어요.

5. '참 쉽네.'라고 끝맺음 한 것은 힘이 조금 들더라도 칭찬받을 일을 하자는 뜻이에요.

6. 빈칸의 앞뒤에 있는 말과 연결시켜 가면서 알맞은 말을 떠올려 봐요.

7. 시에서 실천하려 한 일과, 멀리하려 한 일을 가려내어 보아요.

어휘력 키우기

 다지기 (1) 어려워 보이는 일인데 혼자서 거뜬히 해치운다.

(2) 옆에서 누가 도와주는 줄도 몰랐다.

(3) 자존심이 강해 남의 도움을 바라지 않는다.

(4) 혼자서 어렵게 일하는 것을 바라보지만 않는다.

넓히기 (1) 큰 벌을 받을 만한 정도이면 '악행'이죠.

(2) 평생을 말없이 착한 행동을 하며 살았다.

(3) 착한척 꾸몄지만 곧 잘못된 행위가 드러나죠.

어휘·어법 총정리

어휘　1 거들다　　　　2 시루

3 단지　　　　4 방언

5 비어　　　　6 선행

7 수도　　　　8 용기

어법　1 소금쟁이　　　2 뚝배기

3 욕심쟁이　　　4 씻었지

5 짓자　　　　6 높다

7 오랫동안　　　8 돌멩이

2주차

06

첫 생일을 축하하는 돌복

1 ⑤　　　　2 돌복　　　3 ②　　　　4 ④

5 ②　　　　6 ① 도련님, ② 아기씨

7 ① 풍차바지, ② 당의, ③ 돌잡이, ④ 활, 화살

어휘력 키우기

뜻 (1) ⓛ　　　(2) ⊙　　　(3) ⓒ

다지기 (1) 윗옷　　(2) 아래옷　　(3) 웃어른.

넓히기 (1) 건강　　(2) 성공　　(3) 부자

1. 글에 두 가지 내용이 실렸어요. 앞의 절반에는 돌복의 차림새와 실린 뜻을 설명했어요.
뒤의 절반에는 돌잡이 행사의 방법과 실린 뜻을 설명했어요.

2. 글감은 둘이지만 스스로 말하는 것은 하나예요. 글감인 돌복과 돌잡이 중에서 스스로 말하고있는 것은 어느 것이죠?

3. 도련님이 입었던 옷과 아기씨가 입었던 옷을 차근차근 잘 보아야 알 수 있어요. 쉽게 눈에 띄지 않았다면, 둘이 입었던 옷을 설명한 부분을 다시 읽어보세요.

4. 의사가 지니고 있는 물건은 무엇입니까?

5. 만들어진 방법을 곰곰이 생각해보면, '돌복'만 '돌'과 '복'이라는 두 개의 낱말이 합쳐져서 이루어진 새로운 낱말이고, 나머지는 두 낱말로 나눌 수 없죠.

6. 글에서 각기 어떻게 나누어져서 말하는지 봐요. 글에서 남자 아기의 돌복은 '도련님'이, 여자 아기의 돌복은 '아기씨'가 각각 나누어 말하고 있어요.

7. 둘로 나누어진 머리말을 보고 해당하는 세부적인 설명을 글에서 확인해요.

어휘력 키우기

 다지기 (1) '웃옷'이라고 적지 않도록 해요.

(2) '아랫옷'이라고 적지 않도록 해요.

(3) '윗마을-아랫마을'은 '웃어른'과 달리 짝이 있어요.

넓히기 (1) 운동을 하지 않으면 '건강'을 잃어버리겠죠.

(2) 게으르면 목적한 일을 이루기가 어렵겠지요.

(3) 재물이 많아도 인색하면 존경받기 어렵겠지요.

07 인구 문제와 해결을 위한 노력

1 ①   2 인구   3 ①   4 ⑤

5 ③   6 ① 인구, ② 성장(발전)

7 ① 고령화, ② 사회 진출, ③ 평균 수명, ④ 해결

어휘력 키우기

뜻 (1) ⓛ   (2) ⓒ   (3) ⓝ

다지기 (1) 늘려서   (2) 늘어서   (3) 늘여서

넓히기 (1) 저출산   (2) 고령화

1. 저출산과 고령화에 초점을 맞추어 인구 문제를 다룬 글이에요.

> 인구 구성 변화로 생긴 인구 문제(1문단)(저출산과 고령화)
> ↓
> 저출산과 고령화 때문에 일어난 일(2문단)
> 저출산과 고형화의 원인(3문단)
> ↓
> 저출산 문제 해결의 노력(4문단)
> 고령화 문제 해결을 위한 다른 나라의 노력(5문단)

2. 빈칸을 채울 수 있는 말을 글에서 찾아야 해요. 넓게 보면 인구 문제를 다룬 글이에요. 첫단락 마지막 문장에 '인구 문제 중 대표적인 것이 저출산과 고령화입니다.'라고 하고 있으므로 모든 내용을 포함한 글감은 '인구 문제'입니다.

3. 첫 문단을 보면, 1980년대에는 아이를 적게 낳는 것을 정책으로 삼았어요. ② 둘째 문단에 나와 있어요. ③ 2000년대 이후, 65세 이상 인구 비율이 크게 증가 추세라고 하네요. ④ 셋째 문단 앞부분에 나와 있어요. ⑤ 셋째 문단 마지막 문장에 나와 있어요.

4. 저출산의 해결 방안에 대해서는 우리나라에서 어떤 노력을 하고 있는지에 대해 자세히 말하고 있어요. 하지만 고령화에 대해서는 외국의 사례만 말하였고, 우리나라에서 어떤 노력을 하고 있는지 말한 부분이 없어요.

5. ⓝ의 '증가하다'는 '양이나 수치가 늘다'라는 뜻이에요.

ⓛ의 '지원하다'는 '지지하여 돕다'라는 뜻이에요.

ⓝ과 ⓛ을 모두 바르게 바꾼 것은 ③번이겠지요.

6. 글의 중심 내용을 다시 한 번 떠올려 본 뒤에 빈칸에 들어갈 말을 생각해봐요.

7. 문제 상황의 확인은 첫째, 둘째 문단에서 이루어졌고, 원인의 분석은 셋째 문단, 해결 방안과 노력은 넷째와 다섯째 문단에서 이루어졌어요.

어휘력 키우기

다지기 (1) 방의 칸 수를 '늘리다'를 꼴바꿈하여 넣어야죠.

(2) '늘다'을 꼴바꿈.

(3) '늘이다'를 꼴바꿈.

넓히기 (1) 아이를 아예 안 낳는 가정에서 떠올릴 수 있어요.

(2) 노인들이 갈수록 많아져요.

---

08 생물 모방 과학

1 ⑤   2 모방   3 ④   4 ③

5 ④   6 철조망   7 ① 잔털, ② 연잎, ③ 방수복

어휘력 키우기

뜻 (1) ⓛ   (2) ⓝ   (3) ⓒ

다지기 (1) 걸음새   (2) 짜임새   (3) 생김새

넓히기 (1) 개발   (2) 미세

1. 우엉 가시, 옆꽃잎, 게코의 발가락의 생김새를 본떠서 사람들의 생활을 편하게 하는 기술의 개발이나 발명을 할 수 있다는 내용이죠.

> 매직 테이프의 발명(우엉가시)(1문단)
> ↓
> 연잎 효과를 응용한 제품 개발(2문단)
> ↓
> 게코의 발바닥 생김새를 본뜬 제품 개발(3문단)

2. 생명체의 생김새를 모방하는 기술을 글의 주된 내용으로 삼았어요.

3. 글에 나온 내용을 속속들이 잘 읽어두어야 풀 수 있어요. 게코의 발가락에 있는 수많은 주름이 솜털로 덮여 있다고 했어요.

4. 글에서 설명한 '연잎 효과'가 무엇인지 정확히 이해하고 떠올린 생각을 찾아보세요.

5. ⓝ의 앞에 나온 말들 중에서 가장 중요한 내용은 스스로를 깨끗하게 한다는 것이에요.

6. 둥근 모양 덩굴에서 모양을 생각해보세요. 가시가 있으면서 사람이나 동물의 접근을 막을 수 있는 물건을 만들 수 있겠죠.

7. 표는 글의 둘째 문단에 나타난 내용을 순서대로 간추린 것이에요.

어휘력 키우기

다지기 (1) 산책을 나와서 걷는 걸음걸이 모양

(2) 가구의 짜인 모양새

(3) 보기에 낯선 생긴 모양새

넓히기 (1) 세상에 없던 약을 새로 만들었어요.

(2) 세균은 아주 작아요.

09 도깨비 수수께끼 내기

1 ③ 　　2 나무꾼, 도깨비 　　3 ⑤
4 ① 　　5 ② 　　6 지혜롭게(슬기롭게)
7 ① 도끼, ② 수수께끼, ③ 지혜

어휘력 키우기

뜻 (1) ⓛ 　　(2) ⓒ 　　(3) ⓖ

다지기 (1) 더듬더듬 　　(2) 까물까물 　　(3) 우글우글

넓히기 (1) 승부 　　(2) 지혜

1. 수수께끼 내기를 하게 된 때부터 본격적으로 이야기가 펼쳐져요. 수수께끼로 도깨비를 당황하게 한 나무꾼의 기발한 지혜가 이야기의 주요 내용이에요.

> 잃어버린 도끼를 찾아나선 나무꾼
> ↓
> 도깨비 소굴에서 수수께끼 내기를 하게 된 나무꾼
> ↓
> 도깨비들의 수수께끼에 기발하게 답한 나무꾼
> ↓
> 수수께끼에 이겨 도끼를 되찾은 나무꾼

⇨ 기발한 지혜로 위기를 벗어난 나무꾼

2. 등장인물은 나무꾼과 도깨비예요.

3. 이야기에 나타나지 않았거나, 나타난 것과 다른 내용을 고르라는 거예요. 수수께끼 대결을 먼저 하자고 한 것은 도깨비였죠.

4. '눈알이 똥그래지는' 행동은 놀란 마음을 드러낸 것이고, 멀뚱멀뚱 서로 바라보기만 하는 표정은 (답을 말하기 곤란해서) 당황스러워 하는 마음이라 할 수 있어요.
　뒤에 이어지는 글을 보면 도깨비들은 자기들이 어떤 대답을 하더라도 질 수밖에 없음을 알았으므로 당황해하는 것입니다.

5. 컴컴한 산속에서 도깨비를 만났지만 놀라지 않고 태연하게 이야기를 나누며 놀이까지 해요.

6. 도깨비들의 물음은 자신들도 나무꾼도 정확한 답을 할 수 없는 내용이라는 점에서 어리석은 질문이에요.
　그런 질문에 나무꾼은 도깨비들이 수긍할 수밖에 없는 답을 함으로써 지혜를 발휘한 것이죠.

7. 사건만을 간추려 앞의 문제 풀이에서 사용한 단어로 빈칸을 채울 수 있어요.

어휘력 키우기

다지기 (1) 컴컴한 산길이니까 손으로 더듬듯이 올라가죠.
　　(2) 빛이 사라질 듯 말 듯하며 날이 저물다.
　　(3) 많이 모여 들끓다.

넓히기 (1) '가리기'라는 뜻으로는 '승부'이지요.
　　(2) 도깨비를 이기기 위해 '지혜'를 발휘하다.

---

10 바다

1 ③ 　　2 바다 　　3 ④ 　　4 ④
5 ② 　　6 ① 장면(내용), ② 경험
7 ① 넓습니다, ② 못하는

어휘력 키우기

뜻 (1) ⓛ 　　(2) ⓖ

다지기 (1) 안은 　　(2) 품고 　　(3) 품은 　　(4) 안고

넓히기 (1) 유능 　　(2) 인자

1. 겉으로 보기에는 바다가 어떠한지 말하고 있지만, 자식인 '나'의 목소리로 엄마와 아빠가 어떤 존재인지 말하고 있어요.

2. 1연과 2연에 글감이 나타났는데 '바다는'으로 시작했어요.

3. 바다를 엄마와 아빠에 빗대어 표현하고 그렇게 비유한 까닭을 '가슴이 넓다.', '못하는 게 없다.'라고 밝히고 있어요.

4. 시의 대상은 '바다'예요. 바다를 엄마와 아빠에 빗대었으므로, 시에 표현된 엄마와 아빠의 모습에서 떠올릴 수 있는 느낌으로 알맞은 것을 고르면 되어요.

5. 자신이 겪은 것과 관련지어 가면서 시를 감상하면 이해가 훨씬 쉬워질 수 있죠.

6. 자신이 본 풍경이나 장면을 그림으로 옮길 때와 같아요.

7. 각 연의 처음에 나온 구절이 모든 내용을 간추려주어요.

어휘력 키우기

다지기 (1) 두 팔이면 '안다'
　　(2) 알을 '품다'
　　(3) 큰 뜻을 '품다'
　　(4) 슬픔을 (가슴 속에) '안다'

넓히기 (1) 능력 있는 인물을 뽑았겠죠.
　　(2) 마음이 어질고 자애로운 모습으로 웃으셨겠죠.

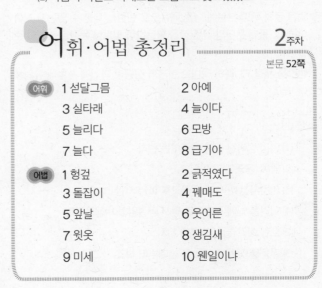

어휘·어법 총정리

2주차

어휘 1 섣달그믐 　　2 아예
　　3 실타래 　　4 늘이다
　　5 늘리다 　　6 모방
　　7 늘다 　　8 급기야

어법 1 헝겊 　　2 긁적였다
　　3 돌잡이 　　4 꿰매도
　　5 앞날 　　6 웃어른
　　7 윗옷 　　8 생김새
　　9 미세 　　10 웬일이냐

11

본문 54쪽

하늘을 나는 꿈

1 ⑤   2 나는 꿈   3 ②   4 ⑤

5 ③   6 ① 오랫동안, ② 속도, ③ 위험

7 ① 도전, ② 실패, ③ 과거, ④ 성공

어휘력 키우기

뜻 (1) ⓒ   (2) ⓒ   (3) ⓐ

다지기 (1) 사는   (2) 나는   (3) 아는

넓히기 (1) 도전   (2) 비행   (3) 설계

1. 옛날부터 오늘날을 거쳐 미래에 이르기까지 하늘을 나는 꿈이 어떻게 펼쳐져왔는지 설명하였어요.

   시간 순서에 따라 비행기의 발전 과정을 설명했다고 할 수 있죠.

2. 글의 첫머리에 나와서 몇 번 거듭해서 나와요.

   이 글의 내용 구성을 보면 다음과 같아요.

   > 하늘을 나는 꿈을 가졌던 사람들 → 또다시 실패한 나는 꿈 → 라이트 형제의 비행 성공 → 발전된 기술에 의한 나는 꿈의 다양한 실현

   ⇨ 하늘을 나는 꿈이 실현되고 발전하여 온 과정

3. 다빈치가 나는 기계를 설계했지만 결국 하늘을 날 수 없었다고 나와요.

4. 셋째 문단의 첫 문장을 보면 그 까닭을 짐작할 수 있어요.

   '사람이 비행기에 타고 엔진의 힘으로 하늘을 날았다.'라고 했어요.

5. 앞이나 뒤를 보세요. ①의 뒤에 '날아올랐다'가 이어지고 있죠. 이로부터 뜻을 떠올려 봐요.

6. 읽은 글의 어떤 부분에 나온 내용으로 빈칸을 채울 수 있는지 찾아야 해요. 둘째 문단의 끝 문장을 활용하여 필요한 문장을 완성할 수 있어요.

7. 빈칸을 채울 때, 특히 라이트 형제의 성공이 과거에 속함에 유의해야 해요.

어휘력 키우기

다지기 (1) 멀리 떨어진 곳에 거주하는 친척.

   (2) 앞에 '공중에'가 있어요.

   (3) 이것저것 여러 가지 골고루 아는 사람.

넓히기 (1) 어려운 일에 정면으로 맞서 망설임없이 행동하다.

   (2) 오랜 시간 '날아다님'에 지쳐.

   (3) 건물을 짓기 전에 보통 설계부터 하죠.

12

본문 58쪽

고정관념이 만들어낸 콤플렉스

1 ④   2 강박 관념(콤플렉스)   3 ③

4 ⑤   5 (1) 착한 여자 콤플렉스   (2) 슈퍼맨 콤플렉스

6 ① 능력, ② 좌절감(열등감)   7 ① 희생, ② 힘

어휘력 키우기

뜻 (1) ⓒ   (2) ⓐ

다지기 (1) 못된   (2) 착한   (3) 못된

넓히기 (1) 좌절감   (2) 잠재력

1. 글의 주요 내용을 간추려 작성해본 주제문. '우리 모두의 생각이 성역할에 대한 고정관념에서 벗어날 때 성차별에서 비롯된 강박관념이 사라지게 된다.'

우리 사회의 심한 성차별(1문단)

   ↓

맏딸 콤플렉스(2문단), 착한 여자 콤플렉스(3문단), 슈퍼맨 콤플렉스(4문단)

   ↓

성차별을 넘어서기 위한 방안(5문단)

   ⇨ 성차별에서 비롯되는 강박 관념의 극복

2. '짓눌린다는 생각-강박 관념'이 글에서 가장 많이 다루어진 말이에요. 그것이 성차별에서 비롯된다는 거예요.

3. 맏딸은 맏이라는 이유로 의무와 책임만 졌지 걸맞은 대우는 받지 못했다고 되어 있어요.

   ① 첫 문장에 설명했어요.

   ② 첫 문단에 설명하고 있어요.

   ④ 넷째 문단의 '슈퍼맨 콤플렉스'에서 설명했어요.

   ⑤ 다섯째 문단의 첫 문장에 나옵니다.

4. 그 이유를 짐작해 볼 수 있는 문단을 찾아보세요. 첫째 문단이에요.

5. 3, 4문단을 읽어보면 쉽게 찾을 수 있어요.

6. 글의 내용에 의하면, '슈퍼맨 콤플렉스'란, 남성다움에 대한 지나친 강박 관념에 사로잡혀 능력을 아랑곳하지 않고 무모하게 행동하여 좌절감에 빠지는 것으로 요약할 수 있어요.

7. 둘째, 셋째 문단에 나온 말로 빈칸을 채울 수 있어요.

어휘력 키우기

다지기 (1) '착한 사람'과 대비되는 '못된 사람'.

   (2) 언뜻 언행이 바르고 상냥해 보이지만 사실은 행실이 좋지 못한 아이

   (3) 일이 뜻대로 되지 않은 것

넓히기 (1) 이길 수 없다는 것을 알았을 때의 느낌.

   (2) 창의성 개발에 도움이 되는 숨은 능력.

13 용수철의 여러 가지 쓰임

1 ④　　　2 용수철　　　3 ④　　　4 탄성력
5 ①　　　6 ③　　　7 ① 충격, ② 볼펜, ③ 늘리는

어휘력 키우기

- **뜻** (1) 줄어들다　　(2) 내려오다
- **다지기** (1) 내려오면서　(2) 줄어들면
- **넓히기** (1) 복원력　　(2) 탄성력

1. 글감은 용수철이지만, 중심 내용은 용수철의 탄성력을 이용한 여러 가지 도구들이죠.

설명할 내용 소개(용수철)(1문단)
↓
침대 등에 사용되는 용수철(2문단)
↓
볼펜 등에 사용되는 용수철(3문단)
↓
운동기구에 사용되는 용수철(4문단)

⇨ 우리 주변에 용수철을 이용하는 것들

2. 글에서 설명하고 있는 물건은 글의 첫머리에 나오는 '용수철'이죠.

3. 2문단부터 예를 들어가면서 용수철을 이용한 많은 도구를 늘어놓았어요.

4. 용수철의 '탄성력'에 대해 첫 문단에서 설명하고 있네요. 그 낱말의 뜻과 성질을 함께 설명했어요.

5. ㉠에는 그 앞에 있는 '충격을'과 어울리는 낱말이 들어가야 하고, ㉡에는 뒤에 이어지는 '용수철이 늘어났다가' 줄어드는 원리와 어울리는 낱말이 들어가야 해요.

6. '탄성력'을 잘 살려 써서 물건에 가해지는 충격을 흡수하도록 하는 것을 찾아 보아요. 둘째 문단에서 설명하고 있어요.

7. 들어갈 낱말을 둘째, 셋째, 넷째 문단을 차례대로 읽어서 찾을 수 있어요.

어휘력 키우기

- **다지기** (1) 손으로 누르면 펀치에서 칼날이 내려와요.
  (2) 가뭄에는 저수지의 물이 줄어들죠.

- **넓히기** (1) 다시 원래 자리로 되돌려 놓는 힘은 '복원력'
  (2) 용수철이 변형을 주고 있는 외부 힘에 반발하는 힘이 강함.

14 지우개 따먹기 법칙

1 ④　　　2 지우개　　　3 ④　　　4 ②
5 ①　　　6 ① 요청(부탁), ② 거절(거부)
7 갈등

어휘력 키우기

- **뜻** (1) ㉡　　(2) ㉠
- **다지기** (1) 발싸개　(2) 코흘리개
- **넓히기** (1) 갈등　　(2) 해소

1. 두 사람이 지우개를 돌려주느냐 마느냐로 다투다가 마음을 바꾸어 돌려주면서 화해하게 되는 줄거리로 되어 있는 이야기예요.

내기에서 딴 지우개를 돌려주고 싶지 않은 상보
↓
준혁이 애원해도 지우개를 돌려주지 않는 상보
↓
준혁에게 지우개를 돌려주는 상보

⇨ 지우개 때문에 생긴 다툼과 화해

2. 지우개를 돌려주느냐 마느냐 하는 문제로 사건이 일어났어요.

3. 두 사람이 수업이 끝나고 횡단보도 앞에서 만났어요.
그런 다음 지우개를 돌려주느냐, 마느냐로 다투었어요.
돌려주어야 할 지우개는, 횡단보도 앞에서 만나기 전에 두 사람이 지우개 따먹기 놀이를 해서 한 사람에게 간 것이었어요.

4. ㉠은 묻는 형식을 보였지만, 사실은 간곡하게 돌려주기를 요청하는 뜻을 품고 있어요.
㉡은 느낌을 드러내는 형식을 보이면서, 단호하게 거절하는 뜻을 품고 있어요. 이처럼 전하려는 뜻에 따라 문장의 끝맺음이 달라져요.

5. 듣는 이를 이해시키려는 뜻을 지니고 있는 문장들이에요.

6. 같은 모양을 지니고 있는 문장이라도 전하려는 뜻이나 상황에 따라 문장의 끝맺음이 달라진다는 사실을 다시 한 번 확인해야 해요.

7. 김상보가 아빠로부터 배운 것이 무엇인지는 글에서 찾을 수 있어요. 이야기의 중심 내용은 김상보의 마음속에서 일어난 갈등과 그 갈등을 풀어나가는 과정이죠.

어휘력 키우기

- **다지기** 낱말이 만들어진 방법보다 뜻을 풀이해 놓은 부분을 잘 보고 낱말을 떠올려봐요.

- **넓히기** (1) 상보가 무겁고 답답한 마음을 지닌 채 고민하는 상태 → '갈등'
  (2) 그런 무겁고 답답한 마음을 풀어버리는 것 → '해소'

15

우리 엄마

1 ⑤   2 응급실, 편의점   3 ⑤
4 ④   5 ①   6 (1) 아버지   (2) 만물상, 휴게실

어휘력 키우기

뜻 (1) ㉡   (2) ㉠

다지기 (1) 아프다   (2) 고프다   (3) 아프다

넓히기 (1) 편의점   (2) 응급실

1. '안방'을 응급실, 편의점으로 빗대어 표현했어요. 이렇게 빗대어 표현하면서 어머니의 따뜻한 사랑을 떠올리게 했어요.

2. 정확하게 말하면 '안방'을 비유한 장소가 둘이에요. 이렇게 비유한 다음 어머니의 모습을 떠올리게 했어요.

3. 1연과 4연, 2연과 5연, 3연과 6연이 각각 짜임새가 비슷한 어구로 되어 있으면서 일정한 간격을 두고 반복됨으로써 규칙적인 질서를 이루고 있어요.

4. 4연에서 '친구에게 따돌려서 슬플 때'라고 했으니 오히려 따돌림을 당했다고 보는 것이 맞겠죠.

5. 자세히 살펴보면 연의 끝이 모두 이름을 뜻하는 말이에요.

6. 시의 내용으로 보아 대상 인물을 떠올려 볼 수 있어요. 인물을 비유한 소재는 위의 시에서와 같은 위치에 나타나고 있어요.

어휘력 키우기

다지기 (1) 다친 자리는 '아프다'
(2) 굶었으니 배가 '고프다'
(3) 슬퍼서 마음이 '아프다'

넓히기 (1) 즉석식품을 살 수 있는 곳.
(2) 위급한 환자를 맞이하는 곳.

어휘·어법 총정리

3주차

어휘
1 갈등   2 좌절감
3 해소   4 자유자재
5 고프다   6 응급실
7 설계

어법
1 못된   2 탄성력
3 지우개   4 떼는
5 쇠고랑   6 계단
7 편의점   8 밤새
9 슈퍼맨 콤플렉스   10 고정 관념

16

많이 웃자

1 ③   2 웃자   3 ⑤   4 ⑤
5 ④   6 웃음은 여러 가지 면에서 도움을 준다.
7 ① 웃음, ② 도움, ③ 긍정적

어휘력 키우기

뜻 (1) 무겁다   (2) 가볍다   (3) 답답하다

다지기 (1) 무거운   (2) 답답한   (3) 가벼운

넓히기 (1) 조소   (2) 미소   (3) 폭소

1. 글쓴이의 생각이 나타난 문단을 찾아야 해요. 첫 문단에 나타났고, 끝 문단에 다시 나타나서 강조했죠.

2. 행동을 촉구하는 내용이 실린 마지막 문장에 나온 낱말을 활용하여 제목을 붙일 수 있어요.

3. 넷째단에, '학습 과정에서 웃음은 흥미를 느끼게 하고, 기억력을 높이고, 긴장을 늦추어주며, 학습 능력을 올린다고 한다.'라고 되어 있어요. 이를 잘못 이해한 것이 있네요.

① 어렸을 때는 하루에 4000번을 웃지만, 다 자란 뒤에는 하루에 8번밖에 웃지 않는다고 하네요.

② 셋째에서 인간관계의 윤활유가 된다했어요.

③ 첫째에서 설명해요.

④ 첫 문단 끝부분에 나와요.

4. 설득하는 글에서 글 쓴 목적은 대개 첫 문단에 나와요.

5. 앞뒤의 말을 잘 새겨봐요. 우리말로 바꾸면, '답답하게 억누르는 느낌'이 스트레스예요.

6. 2단계는 '첫째'~'넷째'인데 내용을 모두 아우를 수 있는 문장은 '첫째'의 앞에 놓여 있어요.

> 웃음의 필요성(첫 문단) → 웃음은 여러가지 면에서 도움을 줌 (첫째~넷째) → 마음껏 웃자(마지막 단락)

7. 표를 1문단-2문단~5문단-6문단으로 나누어 정리하면 되어요.

어휘력 키우기

다지기 (1) 사망 소식에 따른 분위기와 관련되는 낱말.
(2) 문제가 풀리지 않아서 애가 타고 갑갑해요.
(3) 쉽게 풀 수 있어요.

넓히기 (1) 허풍 떠는 친구에게 보내는 웃음.
(2) 소리없이 빙긋이 웃음.
(3) 갑자기 세차게 터져나오는 웃음

17 자유가 뭐예요?

1 ③ 2 자유 3 ④ 4 자유
5 ⑤ 6 ② 7 자유

어휘력 키우기

뜻 (1) ⓒ (2) ⓐ (3) ⓑ

다지기 (1) 따르다 (2) 어울리다 (3) 지키다

넓히기 (1) 자유자재 (2) 자문자답

1. 읽는 사람이 물음에서 떠올린 자유의 소중함을 중요한 까닭으로 삼아 진정한 자유가 무엇인지를 알려주는 글이에요.

> 명령해서 시키는 것이 정당한가? → 사랑에서 비롯되는 격려 → 따라하기는 내가 결정하는 것 → 어려운 일에는 남의 도움이 필요함 → 우리는 혼자서 자신을 지키기 어려움 → 자유로워지기 위한 믿음 → 자유로워지기 위한 여러 가지 생각

⇨ 자유의 참된 의미

2. 글 전체에서 거듭하여 문제 삼고 있는 것은 '자유'예요.

3. 부모님이나 선생님이 시키고 명령하는 이유와 그 정당성을 묻는 질문부터, 다른 사람들이 나의 자유에 방해가 되는지 묻는 질문에 이르기까지 모든 질문이 '더불어 살아감'을 바탕삼아 떠올린 질문이에요.

4. 함께 살아가기 위해서는 자기의 자유를 위한 행동 때문에 남에게 피해가 되지는 않는지 살펴보아야 해요.

5. 글의 끝에 붙은 '앞에 나온 질문을 하는 까닭 네 가지'를 보면, '자유의 제한'과 그 까닭으로 내용이 이어지리라는 것을 알 수 있어요.

6. '우리 자신이 다른 사람들과 닮지 않았나요?'라는 질문은 '닮은 점을 인정할 수밖에 없다.'는 식으로 답이 제시되어, 의견이 엇갈리기 어렵다는 점에서 토론의 주제로 선택하기에 알맞지 않아요.

7. 글에서는 결론으로, 참된 자유의 의미가 무엇이며, 그것을 누리기 위해 어떻게 해야 하는지를 말했어요.

어휘력 키우기

다지기 (1) 좋아하거나 존경하여 고분고분 받아들여 좋다.
(2) 다른 사람과 모임을 함께 하다.
(3) 간섭을 막다.

넓히기 (1) 손목을 자기 마음대로 돌려서 신기해요.
(2) 어려운 문제를 해결하기 위해 스스로 묻고 대답하기를 반복해야죠.

18 백두산의 화산 활동

1 ④ 2 화산 활동 3 ③ 4 ①
5 ② 6 백두산, 대규모 분출
7 ① 용암, ② 피해, ③ 활동(분출), ④ 연구

어휘력 키우기

뜻 (1) ⓑ (2) ⓐ

다지기 (1) 묻히다 (2) 들리다

넓히기 (1) 분출 (2) 폭발

1. 글의 처음에는 화산 활동을 전체적으로 설명하였죠.
그런 다음 백두산에 초점을 맞추어 범위를 좁힌 다음 화산 활동을 설명하였어요.
이런 글에서는 뒷부분이 중심 내용이에요.

화산, 마그마, 용암의 뜻(1문단)
↓
화산 활동으로 인한 피해(2문단)
↓
백두산의 화산 활동(3문단)
↓
백두산 화산 활동 연구의 필요성(4문단)

2. '화산'에서 시작하여 '화산 활동'으로 나아간 다음 화산 활동에 대해 더 많은 설명을 하였죠.

3. 읽은 내용을 떠올려 보고 나온 내용과 차이가 나는 것을 고르세요.
백두산에서 1903년에 마지막 분출이 있었다고 본문에 나와있습니다.

4. 글의 내용을 다시 떠올려가면서 답지를 살펴야 해요.
'마그마는 수증기, 이산화탄소 등의 기체가 많이 들어 있어 딱딱한 암석보다 가벼워요.'에 미루어 알 수 있는 내용은 어느 것이죠?
⑤ 학자들의 의견은 엇갈린다고 하네요.

5. 다섯 개의 항목에 놓여 있는 낱말을 ⓐ과 ⓑ을 대신하여 넣어보세요. 가장 잘 어울리는 것을 고르세요.
ⓐ '비옥하다'는 사전적 의미가 '땅이 걸고 기름지다.'입니다.
ⓑ '분출'의 사전적 의미는 '액체나 기체 상태의 물질이 솟구쳐서 뿜어져 나옴'의 뜻입니다.

6. 번성하고 있었던 나라가 특별한 이유없이 갑자기 망한 원인을 글에서 찾아보라고 했어요. 셋째 문단에서 찾아야겠죠.

7. 문단별로 중심 내용을 간추려가면서 알맞은 낱말을 떠올려봐요.

어휘력 키우기

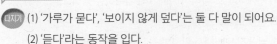
다지기 (1) '가루가 묻다', '보이지 않게 덮다'는 둘 다 말이 되어요.
(2) '듣다'라는 동작을 입다.

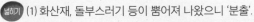
넓히기 (1) 화산재, 돌부스러기 등이 뿜어져 나왔으니 '분출'.
(2) 큰불이 일어나고 천둥 같은 소리가 나면서 터졌으니 '폭발'

19 행복한 비밀 하나

본문 88쪽

1 성미   2 ①   3 ③   4 ⑤
5 ②   6 겁   7 ① 성미, ② 민철, ③ 사진

어휘력 키우기

뜻 (1) ㉡   (2) ㉠
다지기 (1) 끄덕였다   (2) 가로저었다
넓히기 (1) 수첩   (2) 사진   (3) 비밀

1. 줄거리를 정리해서, 비밀을 간직함으로써 행복해진 사람은 누구인 지 생각해봐요.

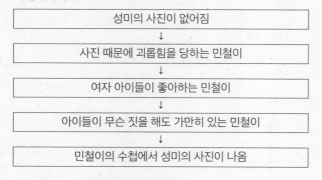

성미의 사진이 없어짐
↓
사진 때문에 괴롭힘을 당하는 민철이
↓
여자 아이들이 좋아하는 민철이
↓
아이들이 무슨 짓을 해도 가만히 있는 민철이
↓
민철이의 수첩에서 성미의 사진이 나옴

2. '사진' 때문에 계속하여 일이 일어나고 있어요.

3. 영만이가 뒤진 민철의 수첩에서 성미의 사진이 나왔죠.

4. 영만이가 민철의 수첩을 꺼내자 한 번도 맞서지 않았던 민철이 영만에게 대들며 나섰고, 싸워서 이기기까지 했어요.

5. 이야기를 전하는 사람이 알려줬어요. '영만이와 몇몇 아이가 민철이를 두둔하는 나를 더 약 올리기 위하여 일부러 짓궂게 굴었다.'

6. "저 앤 겁쟁이만 아니면 참 좋은데……."라는 여자 아이들 말에서 떠올릴 수 있어요.

7. 줄거리를 이끌어왔던 소재, 인물들을 모두 넣어서 완성할 수 있어요.

어휘력 키우기

다지기 (1) 맞장구를 치면서 긍정의 표현으로 고개를 아래위로 가볍게 움직였다.
    (2) 부정하는 의미로 고개를 좌우로 움직임

넓히기 (1) 손에 지니고 다니며 그때그때 기록하는 공책.
    (2) 실물 그대로 옮김.
    (3) 남에게 드러내지 않고 혼자 가슴에 새겨둔 것.

---

20 거인들이 사는 나라

본문 92쪽

1 ⑤   2 거인   3 ①   4 ①
5 ①   6 ① 파란불, ② 어른들   7 어른들

어휘력 키우기

뜻 (1) ㉡   (2) ㉠
다지기 (1) 꾸물꾸물   (2) 어마어마
넓히기 (1) 거인국   (2) 거시적   (3) 거창한

1. 시의 첫머리부터 어린이의 목소리로 어른들로 하여금 거인 나라로 가서 어려움을 겪어보도록 하자고 해요.

2. 말하는 사람이 상상 속에 떠올려본 나라는 누가 사는 나라죠? 어른들을 거인국으로 보내자고 했으니 거인들이 사는 나라겠지요.

3. 시에서 가장 많은 분량으로 다루어진 일을 찾아봐요.

4. 어른들이 거인들보다 키가 작을 것이므로 성큼성큼 앞질러 갈 수 없어요.

5. 어른이 거인 나라에 가면 현실의 어린이처럼 불편을 겪게 되지요.

6. 빈칸의 앞뒤에 어떤 내용이 있는지 잘 새겨봐요. 시에 나오는 대로 내용을 정리해서 채울 수 있어요.

7. 2행부터 시에서 말하는 사람의 상상이 펼쳐져요. 끝에서 두 번째 줄까지 이런 상상이 이어지는데 이 부분이 중심 내용을 이루어요.

어휘력 키우기

다지기 (1) 네가 <u>굼뜨고 느리게 움직이는</u> 바람에 기차를 놓쳤다.
    (2) 매우 놀랍고 엄청난 속도로 달려갔다.
넓히기 (1) 거인들만 사는 나라.
    (2) 크게 전체적으로 보는 것.
    (3) 규모나 형태가 매우 큰 계획.

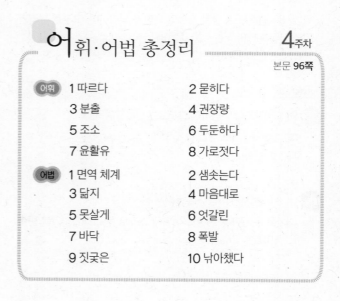

어휘·어법 총정리

4주차

본문 96쪽

어휘
1 따르다   2 묻히다
3 분출   4 권장량
5 조소   6 두둔하다
7 윤활유   8 가로젓다

어법
1 면역 체계   2 샘솟는다
3 닮지   4 마음대로
5 못살게   6 엇갈린
7 바닥   8 폭발
9 짓궂은   10 낚아챘다

21 효은이와 주고받은 편지

본문 98쪽

1 ②   2 댐 건설   3 ③   4 ⑤
5 ①   6 홍수   7 ① 반대, ② 동물, ③ 홍수

어휘력 키우기

뜻 (1) ⓒ   (2) ㉠

다지기 (1) 산등성이   (2) 산봉우리

넓히기 (1) 상당   (2) 당연   (3) 담당

1. 문제 상황은 같아요. 댐 건설을 둘러싸고 찬성과 반대의 주장이 맞서 있어요.

2. 만강에 댐을 건설해야 하느냐, 하지 말아야 하느냐로 다투고 있어요.

3. 실제로 편지에 나온 것으로 따져야 해요. 학생의 편지에만 '하지만 저는 댐을 건설하는 것에 반대합니다.'라는 주장을 드러낸 문장이 따로 분리되어 있고, 담당자의 글에는 주장이 이렇게 분리되어 따로 놓여 있지 않아요.

①, ② 담당자의 편지에도 높임말을 사용했어요.

③ '댐을 건설하는 것에 반대합니다.'라고 분명히 밝혔어요.

④ 읽는 이의 마음을 상하게 하지 않으려고 직접 주장하기 보다는 댐건설로 보게 될 더 큰 이득이 있음을 두루뭉술하게 드러내고 있어요

4. 주장이 맞서 있을 뿐이지 모두 타당하다고 할 수 있어요. 또 주장의 까닭을 말한 근거도 모두 타당성이 있어요.

5. 숨어있는 뜻까지 생각해 보면, 상대방이 어떤 생각인지 헤아리지 않고 미리부터 자신의 잇속만 차린다는 뜻의 속담이 알맞죠.

주민들은 댐 건설을 반대하고 있는데, 마치 댐 건설이 되는 것처럼 주민들 이사지원을 먼저 말하고 있어요.

6. (가) 댐을 건설하는 것은 자연이 훼손되고 주민터전을 잃게 되므로 반대한다는 주장

(나) 폭우의 문제, 홍수의 피해를 막을 수 있다고 주장이 맞서고 있어요.

7. 주장과 그 까닭을 편지에서 구별할 수 있으면 답을 쓸 수 있어요.

어휘력 키우기

다지기 (1) 뻗어내린 산의 등줄기는 '산등성이'.

(2) 산봉우리, 곧 산꼭대기에서 뾰족하게 솟아있는 것.

넓히기 (1) 오백만 원의 액수나 수치에 해당하는 말.

(2) 설명이 필요없을 만큼 너무나 마땅한 일.

(3) 일을 맡아서 하는 사람.

22 지구가 100명의 마을이라면

본문 102쪽

1 ④   2 지구, 마을   3 ②   4 ①
5 ③   6 ① 250, ② 170억
7 ① 음식, ② 생활 자원

어휘력 키우기

뜻 (1) ㉠   (2) ⓒ   (3) ⓛ

다지기 (1) 먹을거리   (2) 입을거리   (3) 얘깃거리

넓히기 (1) 만족   (2) 사족   (3) 부족

1. 지구를 100명이 사는 마을로 상상하여, 지구촌을 이해하고, 지구가 맞이하게 될지도 모르는 문제를 생각해 본 거예요.

(가) 글에서 다룰 내용 소개
↓
(나) 대륙별, 나라별 인구 수
↓
(다) 지구 마을 사람들의 언어
↓
(라) 지구 마을의 가축, 먹을 거리
↓
(마) 지구를 살기 좋은 곳으로 만들기 위한 노력

2. 100이라는 숫자가 나오는 곳을 글에서 찾아보세요. 약간 모양이 다를 뿐이죠.

3. (나)에 대륙별 인구수가 나와 있어요.

4. 글에는 화성에 관한 내용이 전혀 없습니다.

② 100명의 마을에 1년에 1.15명씩 늘어난다고 했어요.

③ 여섯 개 나라에 산다고 했어요. (나)를 다시 읽어보세요.

④ 250마리의 닭이 있다고 했어요.

⑤ 100명 중에 21명이 중국어를 쓴다고 했어요.

5. 글의 첫머리에서 볼 수 있듯이, 실제 지구의 인구가 68억 명이기 때문에, 100명이 산다고 할 때의 1명은 실제로 6천 8백만 명이 되어요.

6. (마)에 나오는, '지금 100명이 있다면 2050년에는 약 250명이 살게 될 거예요.'를 근거로 하여 셈해 보세요.

7. (마)에서 빈칸에 알맞은 말을 찾아보세요.

어휘력 키우기

다지기 (1) 여행에서 음식과 잠자리가 중요하지요.

(2) 옷이 가득한 데도 입을 만한 옷이 없다며

(3) 이야기할 만한 재료가 매우 부족한지

넓히기 (1) 충분히 넉넉하여 흡족함을 뜻하는 '만족'.

(2) 완벽한 글이라 쓸데 없는 군짓은 필요없다고 했어요.

(3) 물이 충분하지 못해 고통 받는 나라.

23 | 수천 년 만에 싹튼 씨

1 ①　　　2 씨, 싹　　　3 ⑤　　　4 씨눈
5 ①　　　6 알맞은 조건　　　7 물

어휘력 키우기

뜻 (1) ㉡　　　(2) ㉠

다지기 (1) 사글세　　　(2) 강낭콩

넓히기 (1) 발아　　　(2) 발견　　　(3) 발생

1. 글의 첫머리에 나온 물음에 답하는 것으로 중심 내용이 이루어져 있어요. 이 물음의 문장과 뜻이 같고 비슷한 모양으로 되어있는 것이면 되겠죠.

2. 글의 처음부터 끝까지 반복하여 나온 낱말이죠. 한 칸짜리 낱말은 그리 쉽게 볼 수 있는 게 아니죠. 이 글은 '오래된 씨로 싹을 틔울 수 있을까?'라는 의문으로 부터 시작되어요.

3. 글에 나오기만 하면 되거든요. 어디에 나온 건지만 확인하세요. 오래된 씨가 싹을 틔울 수 있는 조건을 글에서 여러 번 말했어요.
   ① 본문에 없는 내용이에요.
   ② 완두콩 씨가 썩지 않았기 때문에 싹이 텄죠.
   ③ 실험실에서 싹이 트기에 알맞은 조건으로 맞추었더니 싹이 돋았다고 했어요.
   ④ 본문만으로는 알 수 없는 내용이에요.

4. 둘째 문단에 나온 낱말과 더불어 떠올릴 수 있는 생각이에요.

5. 앞서 있는 '이런 일이 가능한 까닭은'이 '오래된 씨가 싹을 틔우는 일이 가능한 까닭은'이라는 뜻이죠. 내용으로 볼 때, 이와 어울리기 위해서는 '조건이 맞을 때 싹을 틔우기 때문이다.'라는 내용이죠.

6. 글의 네번째 문단에 나와 있어요.

7. 오래된 씨가 싹틀 수 있는 조건을 설명한 것이 중심 내용이에요. 이 내용은 글의 여기저기에 흩어져 나와요.

어휘력 키우기

다지기 (1) 자취방은 자취하려고 얻어 든 방이에요. 방을 빌려 쓴 돈을 매달 5일에 낸다는 것입니다.
(2) 밥에 넣는 것이니까 '강낭콩'이 어울리죠. 강낭콩을 강남콩으로 쓰지 않도록 주의해요.

넓히기 (1) 씨앗에서 싹이 트다.
(2) 알려지지 않은 대륙을 찾아내다.
(3) 사건이 일어나다.

24 | 독 안에 든 빵 작전

1 ③　　　2 쥐　　　3 ②　　　4 ⑤
5 ①　　　6 ① 마당, ② 엄마
7 ① 적극적, ② 겁, ③ 전쟁

어휘력 키우기

뜻 (1) ㉡　　　(2) ㉠

다지기 (1) 살금살금　　　(2) 주룩주룩

넓히기 (1) 적군　　　(2) 해군　　　(3) 아군

1. 이 이야기에는 우리를 긴장하도록 하는 일이나 다툼이 보이지 않아요. 배경도 별로 관심을 끄는 것이 아니에요. 등장인물의 성격이 특이해서 재미를 느끼도록 하고 있어요.
   ① 이야기의 중심내용, ② 문장의 모양, ③ 주요 인물들의 성격, ④ 이야기의 다툼과 해결 과정, ⑤ 이야기가 벌어지는 곳

2. 쥐 때문에 생긴 소동이 이야기를 이루었어요.

3. '엄마는 쥐를 잡기 전에는 도저히 잠을 잘 수 없다고 하셨어요.'와 "집을 들어 올려서라도 쥐 소굴을 찾아내겠다."는 엄마의 대사, 그리고 형사처럼 예리한 눈초리로 마당을 조사해서 결국 쥐가 아니었음을 밝혀내는 행동 등을 봐요.

4. 실상을 부풀려 말하면서 스스로를 뽐내고 있어요. 겨우 쥐 잡는 일인데, 전쟁을 선포하고 계급을 나누기까지 하네요. 상당히 거창하죠.

5. 등장인물인 '나'가 이야기를 전달하는 사람이에요.
   ① '나'가 이야기를 전달해요.
   ② 작품의 밖에 있으면 등장인물이 아니에요.
   ③, ④, ⑤ '나'는 등장인물이면서 이야기 속에서 직접 이야기를 이끌어가고 있어요.

6. 이튿날 아침 마당에서 아빠의 말을 들은 엄마가 의심스러운 눈초리로 아빠를 향해 말을 하고 있어요.

7. 등장인물의 말이나 행동을 잘 살펴보세요. 엄마와 아빠의 성격은 어떤 것 같나요?

어휘력 키우기

다지기 (1) 도둑고양이는 '몰래 음식을 훔쳐 먹는 고양이'라는 뜻이에요. 들키지 않으려면 '살금살금' 걸어야죠.
(2) '장대비는 장대(긴 막대기)처럼 굵고 거세게 좍좍 내리는 비'를 뜻해요.

넓히기 (1) 도망치다가 적의 군대에 잡힘.
(2) 바다에서 공격과 방어를 하는 군대를 해군이라 하죠. 육군은 육지에서, 공군은 공중에서 공격과 방어를 해요.
(3) 흰모자를 쓴 사람이 우리편.

25 엄마의 런닝구

1 ⑤   2 런닝구   3 ②   4 ①
5 ③   6 (1) 입으면   (2) 대접   (3) 이러니
7 엄마, 아버지, 가족

어휘력 키우기

뜻 (1) ⓒ   (2) ⓖ

다지기 (1) 떨어진   (2) 뚫어진

넓히기 (1) 가족   (2) 인정

---

1. 시에서 두드러지게 드러낸 것을 중심으로 내용을 정리해봐요. 두드러지게 드러난 것은 누나, 아빠, 엄마의 말과 행동이에요. 누나가 엄마의 구멍난 속옷을 보고 안타까워서 새로 사입으라 하죠. 아빠는 엄마가 구멍난 속옷을 다시는 못 입게 아주 찢어버렸어요. 형편이 좋지 않아 구멍난 속옷도 아끼는 엄마와 가족의 실랑이 속에서 사랑이 느껴집니다.

2. 연마다 한두 번씩 나타난 낱말이에요. 엄마의 구멍안 '런닝구'

3. '와 이카노(왜 이러니)'처럼 모음을 줄이거나 거센소리를 사용하는 말은 경상도 사투리이죠.

4. 말하는 사람은 누나, 아빠, 엄마의 대화와 행동을 보탬 없이 보이는 대로 그리고 있어요. ① 직접 드러나진 않았지만 '나'가 관찰한 것을 적었어요. ② '나'의 느낌은 드러나지 않았어요. ③ 그냥 관찰한 것을 말하고 있어요. ④ '나'의 대화는 드러나지 않았어요. ⑤ 느낌이나 반성, 생각을 직접 말한 곳은 없어요.

5. '옷이나 신발 같은 것이 해어져서 못쓰게 되다.'라는 뜻이어야 해요. ① 일감이 없어지다, ② 입맛이 없어지다, ④ 병이나 습관 따위가 없어지다, ⑤ 위에서 아래로 내려지다

6. 낱말의 앞과 뒤에 있는 말을 보고 서로 연결시켜 가면서 뜻을 떠올려보세요.

7. 글의 주제가 '가난 속에서 피어나는 가족 사랑'이죠.

어휘력 키우기

다지기 (1) 너덜너덜하게 해어진 옷.
    (2) 구멍이 나 틈이 생겨(그 사이로 강물이 보인다.)

넓히기 (1) 추석에 모인 피붙이들.
    (2) 동정하고 사랑하는 따뜻한 마음.

어휘·어법 총정리

어휘 1 발아   2 사례   3 떨어지다
    4 천장   5 사글세   6 어김없이

어법 1 솟은   2 겪게   3 잇다
    4 굶주리는   5 먹을거리   6 틔웠다
    7 늪   8 묻혀   9 강낭콩
    10 이튿날

6주차

26 경준이 반의 학급 회의

1 우리 반에서 자리를 어떻게 정할지   2 학급회의
3 ②   4 토의   5 ③   6 ④
7 ① 키순, ② 선생님, ③ 자유롭게, ④ 즐거운

어휘력 키우기

뜻 (1) ⓒ   (2) ⓖ

다지기 (1) 않은   (2) 않는   (3) 않은

넓히기 (1) 토의   (2) 발표   (3) 회의

---

1. 학급회의에서 의제는 회의를 시작할 때 사회자가 회의 참석자에게 알려줘요. 첫 문장을 잘 살펴보세요.

> (가) 반에서 자리를 정하는 방법 결정
> ↓
> (나) 학급회의의 수정 회의

⇨ 반에서 자리를 어떻게 정할지에 대한 회의

2. (가)에서 결정한 것을 수정하기 위해 (나)를 열었어요. 한 일은 모두 '학급회의'를 한 것이죠.

3. 찬성하는 수가 많은 쪽의 의견을 선택하는 방법이에요.

4. 어떤 문제를 해결하기 위해 최선의 의견을 이끌어내기 위한 말하기의 방식을 '토의'라고 해요.

5. 이미 나온 의견이면 안 되겠죠.
   ① 박승현이 말했어요.
   ② 김지언이 말했어요.
   ④ 강수빈이 말했어요.
   ⑤ 김경준이 말했어요.

6. 살펴본 학급회의에서도 나타나지 않았지만, 사회자는 자신의 주관을 섞어 평가하거나 감상을 말해서는 안 되어요

7. (가)를 순서대로 살펴보면서 낱말을 찾아 빈칸을 채워보세요.

어휘력 키우기

다지기 (1) '했다'로 이어지니까 과거.
    (2) '지금 이 자리'라고 했으니까 현재.
    (3) 앞말인 '옳은'이 뜻하는 상태를 부정하는 말이 필요하니까 '않은'.

넓히기 (1) 해결 방안을 위해 의견을 주고 받음 → '토의'.
    (2) 결과를 알리어 드러냄 → '발표'
    (3) 학급 반장 뽑기 위해 의논함 → '회의'

27 생산에 필요한 삼총사

1 ④　　2 생산, 3요소　　3 ④

4 ③　　5 ⑤　　6 토지(땅)　　7 땅, 돈, 일

어휘력 키우기

뜻 (1) ⓒ　　(2) ⓛ　　(3) ㉠

다지기 (1) 짓기　　(2) 벌기　　(3) 만들기

넓히기 (1) 자본　　(2) 토지　　(3) 노동

1. 특정한 산업 하나가 아니라 모든 산업의 생산 활동에서 필요한 생산의 세 가지 요소에 대해 설명했어요.

> 여러 가지 생산 활동에 필요한 것들(1문단)
> ↓
> 생산의 3요소(2문단)
> ↓
> 생산의 3요소 설명(토지, 자본, 노동)(3, 4, 5문단)

　① '토지'에 해당해요. ②, ③ '노동'에 해당해요. ⑤ '자본'에 해당해요.

2. 글의 중심 내용을 이룬 글감이 무엇인지 알아보라는 것이네요. 둘째 문단의 끝에 나오지요.

3. 넷째 문단을 보세요. 씨앗은 생산 활동에 필요한 재료이므로, '자본'에 속하죠.

　⑤ 머리를 써서 일하는 것을 정신노동이라고 했어요.

4. 넷은 생활에 필요한 것을 만드는 활동이죠. ③은 생활을 편리하고 즐겁게 해 주는 활동이에요.

　①, ②, ④, ⑤처럼 제조하는 생산 활동을 2차 산업, ③과 같은 서비스업을 3차 산업이라고 해요.

5. 생산 활동의 3요소가 무슨 뜻인지 밝히고, 이들 셋을 구분하여 각각 자세히 설명하였어요.

　뜻을 밝히는 것을 '정의'라고 하고, 같은 것끼리 묶어서 설명하는 것을 '분류'라고 해요.

6. 굳이 회사에 나갈 필요가 없다고 했으므로, 생산 활동을 하기 위한 공간은 그다지 필요하지 않겠죠.

7. ⓛ, ⓒ, ⓔ의 앞에 있는 한자어 '토지, 자본, 노동'을 순우리말로 쓰면 되어요. 모두 본문에 나온 낱말이에요.

어휘력 키우기

다지기 (1) '논밭을 다루어 농사를 하다'의 뜻.

　(2) 일을 해서 돈을 '벌다'.

　(3) 노력이나 기술을 들여 목적하는 사물을 만들기 위해 재료가 필요하다.

넓히기 (1) 재료, 기계, 시설 등은 돈으로 사야 되지요.

　(2) 땅이나 터이니까 '토지'.

　(3) 사람의 노력이니까 '노동'.

---

28 우유의 다양한 변신

1 ②　　2 우유 제품　　3 ②　　4 ⑤

5 ④　　6 가공　　7 (1) 버터　(2) 치즈

어휘력 키우기

뜻 (1) ㉠　　(2) ⓒ　　(3) ⓛ

다지기 (1) 밝히는　　(2) 굳혀서　　(3) 녹여서

넓히기 (1) 첨가　　(2) 가감　　(3) 가공

1. 글의 첫 문단에서 우유 제품이 다양하게 만들어져 판매되고 있다고 하죠. 글 전반에서 어떤 우유 제품이 있는지 말해주고 있어요.

> 글의 내용 소개(1문단)
> ↓
> 가공 우유 만드는 방법(2문단)
> ↓
> 우유 가공품 만드는 방법(3, 4문단)

2. 글의 첫 문단에 세 번 반복되어 나왔어요.

3. 둘째 문단을 보면, 우유가 혼합물이라고 나와요.

　③ 가공품은 '원자재나 반제품을 인공적으로 처리하여 만들어 낸 물품'이에요. 우유 자체는 소의 젖이기 때문에 '모든' 우유가 가공품이라는 말은 틀렸어요.

4. 끝 문단에 나온, '치즈는 4000년 전 우연히 만들어졌으며, 유산균에 의한 발효 식품'이라는 내용에서 떠올릴 수 있는 것을 찾아보세요.

　① 생크림, 버터, 치즈가 우유 가공품이에요.

　② 분리하거나, 발효 등의 과정을 거쳐 가공한다.

　③ '섞어도 각 물질의 성질은 변하지 않는다.'했어요.

　④ '유지방이 많이 포함된 부분으로 생크림을 만든다.'했어요.

5. 앞뒤에 나온 내용으로 보아서, 괄호 속에 '원래의 물질로 되돌려 놓을'이라는 말을 넣을 수 있어요.

6. 글의 첫 문단에 나온 우유 제품의 종류는 '일반 우유', '가공 우유', '우유 가공품' 등 세 가지예요. 이 중에서 골라야죠.

7. (1) 셋째 문단에서 설명하고 있어요.

　(2) 마지막 문단에서 설명하고 있어요.

어휘력 키우기

다지기 (1) 사고의 원인을 드러내는 작업

　(2) 버터 만들 때는 크림을 굳혀요.

　(3) 쇠를 '녹여서' 쇳물을 만들어요.

넓히기 (1) 이 요거트에는 <u>어떤 다른 물질을 보태거나 더하지</u> 않았다.

　(2) 사실 이외에 <u>덧붙이거나 뺀 것이 없는</u> 사실 그대로임.

　(3) 복숭아에 <u>인공적인 처리를 해서</u> 만든 통조림.

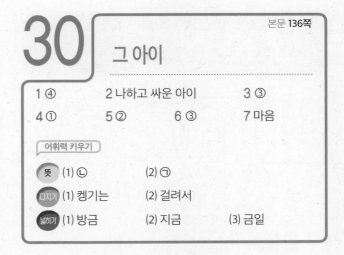

29 울보 바보 이야기

1 ③   2 울보 바보   3 ①   4 ④
5 ④   6 때(시간), 장소(공간)
7 ① 울보 바보, ② 울음, ③ 마음

어휘력 키우기

뜻 (1) ⓒ   (2) ㉠   (3) ⓛ
다지기 (1) 바보   (2) 먹보   (3) 울보
넓히기 (1) 전기   (2) 용기   (3) 생기

1. 등장인물이 하는 말과 행동이 병든 몸과 얼어붙은 마음을 고쳐놓아요. 그 말과 행동에 따뜻한 정이 배어있기 때문이겠죠. 울음 바보의 눈물이 사람들 마음을 녹인 건, 단순히 울음 때문이 아니죠. "불쌍해."라고 하며 울었어요. 누군가를 불쌍하다 생각하며 울어봤나요? 그것은 상대방의 마음을 공감해야만 할 수 있지요.

> 돌림병에 쓸 약을 찾아 나선 할아버지
> ↓
> 산 속 깊이 들어간 할아버지 → 숲 속의 아이가 보여준 치유의 기적 → 따뜻한 정에 감동한 사람과 자연
> ↓
> 온세상의 병을 고쳐 준 따뜻한 정

2. 이름이라기보다는 별명이라고 해야 좋겠네요. 별명도 이름이에요. 숲속 아이의 별명.

3. 이야기가 사건이 일어난 순서대로 펼쳐지고 있어요.(①-②-⑤-④-③)

4. 울보 바보와 할머니가 마주한 상대를 따뜻한 마음으로 감싸서 감동시켜 병을 치유해주었다는 사실에서 미루어보면, 마을 사람들의 병은 그런 따뜻한 마음을 베풀지 않아서 생긴 것으로 볼 수 있죠.

5. 처음 세 문장만 봐도 그 특징을 알 수 있어요. 듣는 사람을 바로 앞에 두고 말하는 느낌이 들어요.
   ① 간단한 배경 설명만 했어요. ② 이야기 중심이지요. ③ 긴장감을 일으키는 부분은 별로 보이지 않아요. ⑤ 이 글에서는 글쓴이의 생각을 뚜렷하게 드러내는 부분은 보이지 않아요.

6. '옛날 어느 마을에'로 이야기가 시작되었는데, 때와 장소의 배경을 말해주어요.

7. 이야기의 세부 내용을 다시 확인하면서 구성의 3요소에 따라 핵심 내용을 간추려 보세요.

어휘력 키우기

다지기 (1) 열 살이 넘어도 말 한마디 똑똑히 못해요.
   (2) 먹을 것을 보면 반해서 어쩔줄을 몰라해요.
   (3) 걸핏하면 우는 아이.
넓히기 (1) 짜릿하게 오는 느낌을 비유적으로 이른 말.
   (2) 사실대로 말할 씩씩한 기운.
   (3) 나른했던 눈에 싱싱하고 힘찬 기운이 돌았다.

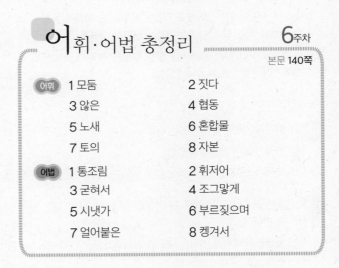

30 그 아이

1 ④   2 나하고 싸운 아이   3 ③
4 ①   5 ②   6 ③   7 마음

어휘력 키우기

뜻 (1) ⓛ   (2) ㉠
다지기 (1) 켕기는   (2) 걸려서
넓히기 (1) 방금   (2) 지금   (3) 금일

1. 시의 주요 내용은 싸움과 화해의 과정이에요.

2. 1연에 '그 아이'가 어떤 아이인지 풀어놓았어요.

3. 망설이는 마음은, 이럴까 저럴까 하는 마음을 보여주어야 해요.

4. 부끄러워 얼굴을 마주하기 민망하대요. 여기서 '힝'은 '횡'의 잘못. '힝'은 사전에 없는 말이고, '작은 것이 빠르게 날아가거나 떠나가 버리는 모습'을 뜻할 때는 '횡'을 써요. 이처럼 시에서는 어법에 맞지 않는 표현도 시의 효과적인 표현을 위해 쓰일 수도 있어요.

5. 시에서 말하는 사람(화자)이 장소를 옮겨가면서, 그에 따라 시간이 변화하며 내용이 펼쳐지고 있어요.

6. '바람직한 태도'를 골라 보라고 했어요. 나는 이럴 때 어떻게 할 지 생각해봐요.

7. 내가 함께 싸운 친구의 집을 망설이며 지나친 이유를 떠올려 보라는 것이에요.

어휘력 키우기

다지기 (1) 뒤에 '겁먹은'과 연결하여 고르세요.
   (2) '꺼림칙하다'는 마음에 걸려서 언짢고 싫은 느낌이 있다는 뜻이에요.
넓히기 (1) 바로 조금 전 빵이 다 팔림.
   (2) 옛날이나, 말하고 있는 바로 이때나 엄마는 검소하시다.
   (3) 오늘 안에 일을 처리하라고 했더니.

어휘·어법 총정리

어휘 1 모둠   2 짓다
   3 않은   4 협동
   5 노새   6 혼합물
   7 토의   8 자본

어법 1 통조림   2 휘저어
   3 굳혀서   4 조그맣게
   5 시냇가   6 부르짖으며
   7 얼어붙은   8 켕겨서

7주차

31 아침 시간

본문 142쪽

1 ⑤   2 아침   3 ⑤   4 ③
5 ①   6 시간, 낭비
7 ① 두 가지, ② 한 가지, ③ 지식

어휘력 키우기

뜻 (1) ㉡   (2) ㉠   (3) ㉢

다지기 (1) 알찬   (2) 허송세월   (3) 힘들다고

넓히기 (1) 교육   (2) 학습   (3) 등교, 하교

1. (가), (나)에서 두 사람은 아침 시간에 어떤 활동을 어떻게 할 것인 가에 대해 각자의 의견을 말하고 있다. (가)는 스스로 할 수 있는 시간을 달라고 하고, (나)는 정해놓은 대로 하자고 했어요.

2. 아침 시간의 활동에 대한 의견이지요.

3. ①, ②는 사실을 그대로 옮겨놓았어요.
   ③ 느낌이 포함되어 있는 내용이지만 의견을 밝히지는 않았어요.
   ④ 아침 시간을 지금과 다른 방법으로 활용하자는 의견에 대한 까닭을 말하고 있어요.

4. (나)의 셋째 문단에서 까닭을 늘어놓았는데 간추리면, '유익한 점이 많다.'는 것이에요.

5. 뒤에 이어지는, '한번 지나간 시간은 다시 돌아오지 않기 때문에 우리에게 주어진 시간을 보물처럼 소중하게 써야 한다.'와 어울리는 격언이 들어가야 해요. ① 시간은 소중하다. ② 시간이 흘러간다는 뜻. ③ 어떤 일에 몰두해 있는 뜻. ④ 시간이 빠르게 지나간다는 뜻. ⑤ 시간을 되돌릴 수 없다는 뜻.

6. '반격할 때'라고 했어요. (나)의 끝 문단의 '시간을 낭비하는 것보다는 조금 힘들어도 알차게 이용하는 것이 낫다고 생각합니다.'는 (가)의 의견을 오해한 것이에요. (가)는 '하루에 한 아침 활동을 하고 싶다.'는 것이지 그냥 시간을 보내자는 의견이 아니죠.

7. (가), (나)에서 의견과 그 까닭을 밝힌 부분을 정확히 찾아서 표와 대비해가면서 빈칸을 채울 수 있어요.

어휘력 키우기

다지기 (1) 번거롭더라도 실속이 있는 하루.
   (2) 게임만 하며 세월을 허비함.
   (3) 마음이 쓰이고 수고가 되는 면이 있다.

넓히기 (1) 좋은 가르침으로 바람직한 인성을 길러 나무랄 데 없는 사람을 만들다.
   (2) 학생들은 배워서 익히는 태도를 가져야겠죠.
   (3) 오전에 등교, 오후에 하교.

32 선거의 네 가지 원칙

본문 146쪽

1 ②   2 선거, 원칙   3 보통 선거   4 ②
5 ②   6 ① ㉢, ② ㉣, ③ ㉠, ④ ㉡
7 보통 선거, 평등 선거, 직접 선거, 비밀 선거

어휘력 키우기

뜻 (1) ㉡   (2) ㉠

다지기 (1) 지킨   (2) 어긴

넓히기 (1) 구별   (2) 구분   (3) 분류

1. 글의 내용을 간추려보면, 민주시민으로서 권리를 정당하게 행사할 수 있도록 하기 위해 네 가지 원칙을 지켜야 한다는 거예요.

2. '선거'를 글감으로 삼았죠. 실제 내용은 선거에서 지켜야 할 네 가지 원칙을 설명하는 것이었고요.

보통 선거의 원칙

↓

평등 선거의 원칙

↓

직접 선거의 원칙

↓

비밀 선거의 원칙

3. 글에 나와 있는 내용이에요. '보통 선거란, 인간은 모두 평등하다는 민주주의 근본정신에 의해 ~'라는 문장을 보세요.

4. '제한 선거'에 대한 설명을 잘 읽어봐요. 일정한 조건을 주고 이를 만족시키지 못하면 선거권을 주지 않을 수 있다고 해요.
   ① '꼭 지켜야 할 네 가지 원칙'을 설명했어요.
   ③ '누구나 똑같이 한표씩 투표하는 것'이라고 했어요.
   ④ 간접 선거에 해당되어요.
   ⑤ 비밀 선거는 '표의 내용을 투표자만 알도록 한다'고 했어요.

5. '선거'란 뽑는 활동 바로 그것에 초점을 맞춘 말이고, '투표'란 표의 권리를 행사하는 구체적인 활동을 뜻해요.

6. 글에서 왼쪽의 말을 설명한 자리를 찾아가서 설명한 내용을 다시 확인해 보세요.

7. 각 문단의 첫머리에 선거의 원칙을 밝혔어요. 이것과 구별해야 한다고 한 것은 원칙이 아니에요.

어휘력 키우기

다지기 (1) 원칙을 지켜야 민주시민으로서 자부심(스스로 자랑하는 마음)을 가지죠.
   (2) 흑인이라는 이유로 선거권을 주지 않은 것은 선거의 기본 원칙을 벗어난 것이에요.

넓히기 (1) 국산품과 수입품을 차이에 따라 갈라 놓음.
   (2) 읽은 것인지, 읽지 않은 것인지 기준에 따라 나누다.
   (3) 생김새가 같거나 비슷한 것끼리 나누어 묶다.

33 물이 있는 행성

1 ③	2 물	3 ①	4 ⑤
5 ②	6 물	7 ① 물, ② 탐사선, ③ 망원경	

어휘력 키우기

뜻 (1) ⓒ (2) ⓒ (3) ㉠

다지기 (1) 떠돌고 (2) 흐르고 (3) 멈추고

넓히기 (1) 운명 (2) 명령 (3) 생명

1. 글 전체의 흐름으로 보아, 둘째 문단에서 다룬 '물이 있는 행성을 찾기 위한 연구'가 중심 내용이라고 볼 수 있어요. 그 이하의 '화성의 물 흔적을 찾기 위한 노력'은 중심 내용의 예라고 볼 수 있죠.

생명체가 살기 위해 꼭 필요한 물(1문단)
↓
지구 이외의 행성에 물이 있는지 연구(2문단)
↓
화성에서 물의 흔적 찾기(3문단) 화성의 협곡에 물의 흔적 발견(4문단)

2. 여러 행성에서도 화성에서도 '물'을 찾기 위한 노력을 하고 있다고 했어요.

3. ① 글의 첫 문장에서 밝힌 내용입니다.

② 물은 생물체의 성분 중 50% 이상을 차지한다네요.

③ 아직까지 발견된 건 물이 있던 흔적 정도이지요.

④ 매우 멀어서 사람이 직접 갈 수 없었다고 나와요.

⑤ 글에서 알 수 없는 내용이에요.

4. 무인 탐사 로봇 '큐리오시티'를 보내 화성 표면의 흙을 분석했더니, 화성에 호수가 있었음을 알게되었다고 세 번째 문단에 나오죠.

5. 사막의 오아시스와 물이 있는 행성이 같거나 비슷한 점이 있기 때문에 그렇게 비유한 것이지요. 비유란 항상 둘 사이에 같거나 비슷한 점이 있을 때 이루어져요. 바로 앞 문장에서 물이 있는 곳이어야 생명체가 살 수 있다고 설명했죠.

6. 멀리 떨어진 행성을 향해 여행한다면 오랜 시일이 걸릴 테지요. 이때 우주인에게 꼭 필요한 것이 무엇일까요? 그것이 우주선 안에 없다면 어떻게 해야 할까요?

7. 첫째, 둘째, 셋째와 넷째 문단의 중심 낱말을 찾아서 빈칸을 채울 수 있어요.

어휘력 키우기

다지기 (1) 하늘에 구름이 이리저리 움직이고 있다.

(2) 시냇물이 멀리까지 내려가고 있다.

(3) 바쁘더라도 잠시 하던 일을 '멈추다'

넓히기 (1) 환경 보호는 세계 전체의 생사와 관련된다.

(2) 옆집 아주머니는 나에게 시키듯이 말하신다.

(3) 우리집 김치 맛을 내는 가장 중요한 요소는 젓갈이다.

34 숲 속의 대장간

1 ③	2 숲 속, 대장간	3 ②
4 ⑤	5 ①	6 ①
7 ① 사냥꾼, ② 대장간, ③ 가마솥		

어휘력 키우기

뜻 (1) ⓒ (2) ㉠

다지기 (1) 외양간 (2) 대장간

넓히기 (1) 피난 (2) 도피 (3) 피신

1. 꼬마와 사냥꾼의 다툼을 통해 전하고자 한 생각이 무엇인지 알아봐요. 꼬마가 새들과 함께 사냥꾼에게 쫓기는 토끼를 구하여 주는 내용을 통해 생명을 소중히 여기는 착한 마음을 중심 생각으로 전하고자 했어요.

사냥꾼에게 쫓긴 토끼를 숨겨준 꼬마
↓
토끼를 살려주라고 노래하는 참새와 까마귀
↓
토끼가 숨은 솥을 열어보려는 사냥꾼
↓
토끼에게 도망가라는 참새
↓
토끼를 살려준 꼬마

⇨ 생명을 소중하게 생각하는 착한 마음

2. 작품의 배경은 숲 속에 있는 대장간이에요.

3. '꼬마'가 줄거리를 이끌어가는 주인공이에요.

4. [앞의 줄거리] 부분을 읽어 보세요. 꼬마가 토끼를 가마솥에 숨겨 놓고, 사냥꾼이 오자 토끼가 숲으로 도망갔다고 해서 사냥꾼은 숲으로 갔어요.

5. 역할을 맡은 사람의 이름을 적고, 그 사람의 말을 늘어놓은 글을 '희곡'이라고 해요.

6. 쫓기는 토끼를 숨겨주는 꼬마의 행동에서 지혜롭고 착한 성격을 엿볼 수 있어요.

7. 대본과 줄거리를 보고 빈칸을 채울 수 있어요.

어휘력 키우기

다지기 (1) 소를 기르는 곳 '외양간'

(2) 쇠를 달구어 연장을 만드는 곳은 '대장간'

넓히기 (1) 전쟁을 피하여 멀리 옮기다.

(2) 도망이라는 뜻이 포함되어 있는 낱말.

(3) 위험을 피하여 몸을 숨김.

35

늦게 피는 꽃

1 ③   2 늦게 피는   3 ①   4 ③

5 ④   6 ⑤

7 ① 봄, ② 철, ③ 피어날(자라날), ④ 철들

어휘력 키우기

뜻 (1) ⓒ   (2) ⓐ   (3) ⓑ

다지기 (1) 철들게   (2) 열없는   (3) 철없는

넓히기 (1) 완숙   (2) 미숙   (3) 조숙

1. 엄마에게 부탁하는 내용의 요지가 가장 잘 드러난 연이 마지막 연이에요. '기다려 주세요. 철들 시간이 필요해요'라고 했어요.

2. 자신을 철이 늦게 드는 사람이라고 하고 이것을 빗댄 말을 사용하고 있어요.

3. 철들 때까지 기다려달라고 했지만, 스스로 서두르지는 않아요.

4. 1연에서 엄마가 걱정하는 까닭을 '어설프고 철이 없기' 때문으로 짐작하고, 2연에서 스스로를 '늦게 피는 꽃'에 빗대고 있어요.

5. '나'가 말하고 '엄마'가 듣고 있어요.

6. 시에 나온 핵심이 되는 내용, 즉 '나'가 '엄마'에게 하고 싶어하는 말을 간추려 보아요.

7. '꽃'과 '나'에 대해 말한 연을 각각 찾아서 빈칸을 채울 수 있어요.

어휘력 키우기

다지기 (1) 나이가 사리를 분별하고 판단하게 하는 것은 아니다.

    (2) 겸연쩍고 부끄러운 표정.

    (3) 할 일과 하지 말아야 할 일을 구별하는 것이 부족함. '덤벙대고 까불고'와 어울리는 말.

넓히기 (1) 나무랄 데 없이 완전히 성숙하였다.

    (2) 배운 지 얼마 되지 않아서 익숙하지 못하다.

    (3) 나이에 비해 발달이 빠르다.

어휘·어법 총정리

어휘 1 분류   2 민주주의

      3 협곡   4 등교

      5 토의   6 구분

      7 허송세월하다   8 차등

어법 1 일쑤   2 낫겠다

      3 끊임없는   4 솥뚜껑

      5 지펴야   6 왠지

      7 철없는   8 열없어서

8주차

36

수원 화성

1 ④   2 수원 화성   3 ④   4 ①

5 한집안, 한가지   6 ②

7 ① 백성, ② 자연, ③ 실학, ④ 왕권

어휘력 키우기

뜻 (1) ⓒ   (2) ⓑ   (3) ⓐ

다지기 (1) 뜨였는   (2) 들렸는   (3) 트이는

넓히기 (1) 고백   (2) 결백   (3) 독백

1. 주된 내용만 간추려 보면, 수원 화성을 짓기까지 있었던 일을, 그 당시에 살았던 정약용이 살아 있는 듯이 꾸며 실감나게 전해 주고 있어요.

수원 화성에 온 아이들
↓
수원 화성에 대한 문화 해설사의 설명
↓
정약용에게 설명을 부탁하는 해설사
↓
정약용이 설명한 수원 화성

⇨ 수원 화성이 완성되기까지 여러 사연

2. 문화 해설사가 설명하고, 정약용이 설명한 것은 무엇인가요?

3. 글에서 정약용의 말만 찾아보세요. 정약용의 말에는 혜경궁 홍씨에 관한 사연은 없죠.

4. 글에 있는 정약용의 말 "재작년 1월부터 공사를 시작했고, 지금이 1796년 9월경이니 약 2년 9개월 정도 걸린 것 같구나."에서 미루어 알 수 있어요.

5. 잘 새겨보면, '한목소리'의 '한'은 '같은'의 뜻을 더하는 쓰임새를 지니고 있어요.

6. ⓒ에 이어지는 설명을 보면, 백미는 '여럿 가운데 가장 뛰어난 것'이라는 뜻을 지니고 있어요.

7. 왼쪽의 제목에 해당하는 내용이 나온 부분을 찾아가서 오른쪽의 빈칸을 채울 수 있는 낱말을 떠올려보세요.

어휘력 키우기

 다지기 (1) 눈이 벌려지다.

    (2) 소리가 들리다.

    (3) 막혔던 것이 치워지고 통하게 되다.

 넓히기 (1) 사실대로 숨김없이 말함

    (2) 깨끗함. 허물이 없음.

    (3) 혼자 중얼거림

37 촌락과 날씨

1 ④　　2 날씨, 촌락　3 ⑤　　　　4 ⑤

5 촌락　　　6 ⑤

7 ① 농업, ② 홍수, ③ 어업, ④ 태풍, ⑤ 관광업, ⑥ 폭우

어휘력 키우기

뜻 (1) ㉡　　　　(2) ㉠

다지기 (1) 다른　　　(2) 틀린　　　(3) 달라

넓히기 (1) 호수, 수영　(2) 향수　　(3) 홍수

1. 무엇을 중심 내용으로 삼을지 공식적인 문장 형식으로 나타나 있죠. 첫 문단의 끝 문장이에요.

> 설명할 내용 소개(1문단)
> ↓
> 날씨가 촌락에 미치는 영향(2문단)
> ↓
> 촌락에서 날씨의 피해를 줄이려는 노력(3문단)

⇨ 날씨가 촌락 생활에 미치는 영향

2. 글에서 뜻을 밝히는 낱말은 일단 글감이에요. 그리고 글이 끝날 때까지 여러 번 나오는 낱말도 글감이에요.

3. 날씨의 구성 요소가 나타난 문단을 찾아봐요. 첫 문단이죠. 날씨의 뜻이 무엇인지 밝히면서 구성 요소도 알게 했어요.

4. 글에 있는 어떤 문장을 바탕으로 떠올릴 수 있는 것인지 따져야 해요. 글의 끝을 보면 날씨의 피해를 면하려고 제사(기우제)를 지낸다고 했죠. 이와 관련될 수 있는 내용을 고를 수 있어요.

　① 이 글에 없는 내용입니다.

　② 촌락의 생산 활동과 사람들의 안전에 날씨가 매우 중요한 영향을 끼친다 했어요.

　③ 어촌에 대한 내용이죠.

　④ 강풍이 불면 양식장이 큰 피해를 본다고 했어요.

5. '농촌, 어촌, 산지촌 등의 촌락'이라고 했어요.

6. 마지막 문단을 보면, 촌락에서 여러 가지 시설을 지어서 날씨의 영향을 줄이려고 한다고 했어요. ②, ③, ④도 관계는 있지만 이 모든 것을 포함하는 것은 ⑤이죠.

7. 글의 주된 내용이 담긴 문단은 둘째 문단이죠. 여기서 들어갈 낱말을 찾으면 돼요.

어휘력 키우기

다지기 (1) 원하던 것이 아닌 '다른' 것

　　(2) 답을 제대로 하지 못한 '틀린'

　　(3) 서로 같지 않다. '다르다'

넓히기 (1) 물놀이 간 곳은 '호수', 물 속에서 헤엄치는 것은 '수영'

　　(2) 향기로운 냄새가 나는 것 '향수'

　　(3) 정보가 흘러 넘칠 만큼 너무 많음을 비유한 말 '홍수'

38 공기의 과학

1 ②　　2 공기　　3 ④　　　4 ①

5 ④　　　6 파란

7 ① 공간, ② 생물(생명), ③ 햇빛

어휘력 키우기

뜻 (1) ㉠　　　　(2) ㉡

다지기 (1) 싸여서　　(2) 쌓여서

넓히기 (1) 반대　　　(2) 반성　　　(3) 반사

1. 글 전체의 내용을 아우르는 주제문을 만들어 봤어요. '공기는 지구에 사는 생물을 보호하고 햇빛을 조절한다.'

> 공기가 하는 일(1문단)
> ↓
> 오존층이 하는 일(2문단)
> ↓
> 공기 때문에 달라지는 하늘의 색(3문단)

⇨ 지구에서 공기가 하는 일

2. 글감인 '공기'를 넣어 제목을 붙일 수 있어요.

3. 글에서 다룬 내용과 어긋나는 것을 찾아보세요. 햇빛이 파란 색으로 보일 때도 있고, 붉은 색으로 보일 때도 있다는 것은 그것이 한 가지 색으로 이루어지지 않았음을 뜻해요.

　① 첫 문단 둘째 문장에 나와요.

　② '공기는 ~ 산소를 공급~'에서 알 수 있어요.

　③ 둘째 문단 첫 문장에 '지구 표면에서 멀어질수록 공기의 양은 점점 적어진다.'고 했어요.

　⑤ 둘째 문단 후반부에 설명되어 있어요.

4. '물론 지구 밖으로 나가면 공기는 없어집니다.'를 근거로 하여 판단한 문장은 어느 것입니까?

5. 글에서 대기권을 이루는 네 가지 층 중 하나가 오존층이라고 했어요.

6. 공기가 있어야 공기의 움직임에 의해 구름과 비가 생길 수 있어요. 또 공기가 햇빛을 굴절, 산란시켜야 하나의 특별한 하늘의 색을 볼 수 있어요.

7. 생명체 보호와 햇빛에 대한 작용이 공기의 일이라고 요약할 수 있는 글이에요.

어휘력 키우기

 (1) 주위가 공 모양으로 둘려 말리다.

　　(2) 눈이 겹겹이 포개어져 놓이다.

 (1) 사사건건 따르지 않고 맞서 거스르다

　　(2) 잘못이나 부족함이 없는지 되돌아 봄

　　(3) 빛이 부딪쳐 되돌아 옴

39 가난한 사람들의 아버지

1 ④　　　2 가난한　　3 ④　　　4 ①
5 ②　　　6 ④　　　7 ① 성격, ② 봉사

어휘력 키우기

🔵 **뜻** (1) ㉡　　(2) ㉢　　(3) ㉠

🔵 **다지기** (1) 뒷문　(2) 뒷손　(3) 뒷길

🔵 **넓히기** (1) 극빈자　(2) 노동자

1. 글의 중심 내용을 정확하게 가리키는 말을 골라야 해요. 여러 가지로 뜻을 새길 수 있는 말은 답이 되기 어려워요.

> 환자가 많은 병원
> ↓
> 영양실조 환자를 살려준 장기려
> ↓
> 입원비를 못낸 환자를 도망가게 한 장기려

⇨ 가난한 환자를 열심히 도와준 의로운 의사

2. 영양실조에 허덕이는 사람들, 입원비를 못 내어 퇴원을 못하는 사람들을 돕기위해 주인공이 등장해요.

3. 글을 자세히 읽어보면, 가난한 사람에게까지 치료비를 받는 직원들의 몰인정에 화를 내었어요.
① 둘째 문장에 나와 있어요.
② 장기려는 '환자들에게 돈을 받는다는게 속상하다.'하였습니다.
③ '하루 벌어 하루 먹고 사는 노동자들이 환자들의 대부분'이라 했어요
⑤ '그냥 도망 빼시오'라고 했어요

4. 못 먹어서 생긴 병이니 먹을 걸 살 수 있게 돈을 주라는 거에요.

5. 앞과 뒤를 보면, 예상하지 못한 말을 느닷없이 들었을 때 보이는 반응을 뜻하는 말이 들어가야 해요.

6. 장기려처럼 자신을 희생하여 가난한 이웃을 돕겠다는 뜻을 보인다면 바람직하겠죠.

7. 인물의 말과 인물의 행동에 대한 묘사는 그 인물이 어떤 성격과 사람 됨됨이를 지닌 인물인지 떠올려 볼 수 있도록 해요.

어휘력 키우기

🔵 **다지기** (1) 지각해서 슬며시 들어온 곳
　　(2) 바빠서 다시 손질하는 일을 못하다.
　　(3) 정당하지 않은 방법

🔵 **넓히기** (1) 집도 가족도 없이 매우 가난한 사람
　　(2) 공사판에서 일하는 사람

40 거미의 장난

1 ④　　　2 ④　　　3 ④　　　4 ①
5 ③　　　6 ①　　　7 ① 줄, ② 공중, ③ 장난, ④ 가족

어휘력 키우기

🔵 **뜻** (1) ㉡　　(2) ㉠

🔵 **다지기** (1) 떨어지다　(2) 매달리다　(3) 떨어지다

🔵 **넓히기** (1) 공상　(2) 공중　(3) 공간

1. 거미를 통해 줄에 매달려 빌딩 벽을 청소하는 아빠의 모습을 떠올리는 데 초점을 맞추어 내용을 펼치고 있어요.

2. 시는 거미줄에 매달려 장난을 치는 거미를 보고 떠올린 생각을 말하고 있네요. ① 거미줄에서 빌딩에 매달린 아빠를 떠올림(글감) ② 글감 중의 하나입니다. ③ 거미집 짓는 내용은 나오지 않아요. ⑤ 아무것도 모르는 거미의 장난에 놀라는 나의 마음을 드러내고 있어요.

3. 줄에 매달려 있는 거미를 보고 말하는 사람이 떠올린 것은 무엇이죠?

4. 둘 사이가 같다거나 비슷하다고 느끼게 된 까닭이 무엇인가요?

5. '저처럼 줄에 매달려 빌딩 벽을 청소하는 우리 아빠를'이라고 바로 뒤의 연에서 '무엇을 모르는지'에 대해 말하고 있어요.

6. 1연을 보면, 천장에서 뚝 떨어져서 공중에 매달려 있는 거미를 보고 '가슴 덜컹하게 한다.'고 했어요.

7. 시에 나온 내용이어서 빈칸을 쉽게 채울 수 있어요.

어휘력 키우기

🔵 **다지기** (1) 위에서 아래로 내려지다.
　　(2) 줄에 잡아매여 달리다.
　　(3) 붙었던 것이 떼어지다.

🔵 **넓히기** (1) 실현될 가능성도 없는 것을 그려보는 일
　　(2) 새가 훨훨 나는 곳
　　(3) 비어서 허전한 곳

어휘·어법 총정리

🔵 **어휘**
1 견제　　　2 사태
3 호사　　　4 끼니
5 백미　　　6 한목소리
7 부산스럽다　8 도드래

🔵 **어법**
1 달라　　　2 부딪힌
3 차림새　　4 재빨리
5 재작년　　6 트였다
7 위협　　　8 싸인

전통과 신뢰의 기업

KILE 한국학력평가원

영역	회/주차	1번 (주제찾기)	2번 (제목(글감)찾기)	3번 (사실이해)	4번 (미루어알기)	5번 (세부내용)	6번 (적용하기)	7번 (요약하기)
산문 문학 ( ) /56개	1/04							
	2/09							
	3/14							
	4/19							
	5/24							
	6/29							
	7/34							
	8/39							
	소계	( )/8개	( )/8개	( )/8개	( )/8개	( )/8개	( )/8개	( )/8개
운문 문학 ( ) /56개	1/05							
	2/10							
	3/15							
	4/20							
	5/25							
	6/30							
	7/35							
	8/40							
	소계	( )/8개	( )/8개	( )/8개	( )/8개	( )/8개	( )/8개	( )/8개
총계		( )/40개	( )/40개	( )/40개	( )/40개	( )/40개	( )/40개	( )/40개

※ 이 책의 모든 문항과 유형은 동일 번호(1번→주제찾기, 2번→제목(글감)찾기, 3번→사실이해, 4번→미루어알기, 5번→세부내용, 6번→적용하기, 7번→요약하기)로 통일되어 있습니다.

※ 이 표가 완성되면 자신의 취약 영역과 취약 유형이 한눈에 파악됩니다.

※ 취약 유형은 '문제 유형별 7가지 독해 비법(본책 4-5쪽)'을 다시 한번 숙지하고 다음 단계로 넘어가길 바랍니다.